超老
芸術

Art of The Aged

超老芸術

櫛野展正

はじめに

退職してから巨大な海老や蟹などが街を襲う様子を描き始めた稲田泰樹さんや拾い集めた流木を加工して奇妙な生き物をつくっている上林比東三さん、そして無数の折り紙を使って大型動物などを夫婦で制作し続けている国谷和成・みよ子さん夫妻など、本書で取り上げているのは「超老芸術」と呼ぶ独自の芸術表現だ。

そんな言葉は聞いたことがないと思うのも当然だろう。「超老芸術」は僕がつくった造語で、「老いを超える」という文字の通り、高齢になってから、または高齢になってもなお、精力的に表現活動をおこなっている人たちのことを、そう呼んでいる。いずれも専門的に芸術を学んでこなかった人たちばかりで、彼ら彼女たちは独学でユニークな創作を続けている。

皆さんは、「老い」に対してどんなイメージを抱いているだろうか。本書を手に取って頂いた方の大半は、きっと「老いには目を向けたくない」と思っているんだろう。スマホを眺めれば、画面から流れてくるのはアンチエイジングを推奨する化粧品や健康食品の広告ばかり。テレビを点ければ、趣味やサークル活動へ積極的に関わりながら過ごす元気で愛らしい高齢者たちの姿が映し出されている。これから僕らが目指すべきは、こうしたメディアから流布されるいつまでも若々しく自立した高齢者の姿なのだろうか。世の中の風潮として、孤立を解消するために社会参加が奨励され、ひとりで老後を迎えることは、まるで駄目なことのように思われている節がある。でも、世の中には集団に参加することができない、あるいは自ら集団に属さないことを選択した高齢者だって多いはずだ。特に芸術分野においては、孤独の深淵から生まれる表現もあるだろう。

そもそも僕らにとって「老いること」は当たり前の出来事のはずだった。ほんらい老境に達することは人生の偉業であるし、周囲の人々から祝福されるべきことだった。たとえば「老」という漢字は、その語源をたどると、髪が長く腰の曲がった年寄りが杖をついていることを示す象形文字だと言われている。古代中国では、髪を長く伸ばすことを許されていたのは老人だけだったともされており、「老師」や「老舗」という言葉にも代表されるように、「老」という言葉には長い年月を掛けて熟成されたという尊敬の念が込められている。

ところが、現代において「老い」は極端に避けるべきこととして認識されている。誰もができるだけ若々しくあろうと日々努力し、いつからか老いは隠され、忌み嫌われるようになった。

でも、安心してほしい。そうした世間一般が抱いている高齢者のイメージを軽々と覆している人たちのことを僕は知っている。それがこれから紹介する「超老芸術家」と呼ぶ人たちだ。常識やルールに縛られることなく続けられる彼ら彼女たちの独創的な表現に、僕はいつも驚かされてしまう。そして、お話を伺うと皆一様に「良い人生だった」と断言してくれるのだ。これ以上に僕らの背中を後押ししてくれるものはないだろう。いったい超老芸術家の人たちは、これまでどんな人生を歩んできて、どうしてそのような表現を始めたのだろうか。今後の人生を楽しく生きるヒントを求めて、さぁページをめくってみよう。

超老芸術　目次

一九四〇年代生まれ

一九三〇年代生まれ

一九二〇年代生まれ

本書は二〇一六〜二〇二二年にかけて筆者が取材・発表してきた記事を一部加筆・修正し、構成したもので、文中の年齢などは取材当時のものです。

一九五〇

一九五〇年代生まれの超老

Born in The ’50s

一九五五年生まれ
山下弘明

一九五四年生まれ
小八重政弘
杉村聡
堀江日出男
松下勤

一九五二年生まれ
上林比東三
半田和夫

一九五一年生まれ
沖井誠

一九五〇年代の主なできごと

一九五九年　明仁親王（のちの平成天皇）が正田美智子さんとご成婚
伊勢湾台風が東海地方を中心に全国にわたり甚大な被害をもたらす
キューバ革命

一九五八年　東京タワーが開業

一九五七年　ソ連が世界初の人工衛星、スプートニク一号の打ち上げに成功

一九五六年　日ソ国交正常化を経て、日本が国際連合に加盟

一九五五年　高度経済成長期が始まる
ワルシャワ条約機構（WTO）が発足。冷戦激化

一九五四年　遠洋漁船・第五福竜丸が、アメリカがビキニ環礁で行った水爆実験に巻き込まれ被爆
自衛隊発足

一九五三年　NHKが日本初のテレビジョン放送を東京で開始

一九五二年　サンフランシスコ講和条約の発効により日本の被占領が解除され、主権を回復する

一九五一年　サンフランシスコ講和条約、日米安全保障条約調印

一九五〇年　朝鮮戦争勃発

人生を楽しむ術

山下弘明

Hiroaki Yamashita

一九五五（昭和三〇）年生まれ

山下さん宅の庭にある巨大な城は
断熱材や発泡スチロールを使ってつくられている

浜松城の大手門を模した木製のオブジェ

庭先に置かれた高さ3メートルの札幌時計台の模型

姫路城と富士山が描かれた倉庫

零戦に乗る山下さん

浜名湖の北東部に位置する静岡県浜松市北区。住宅街の間に広大な畑が点在する長閑《のどか》な道路を走っていると、目的地である「城」が見えてきた。敷地の庭に建てられたこの「城」は高さ二・七メートルほどで、断熱材や発泡スチロールを使ってつくられている。長野県松本市にある松本城を模したもので、その特徴である連結複合式の天守まで見事に再現されている。近づいて見ると、そのいびつな形状や手描きの屋根瓦、そして経年劣化による塗装の剥がれなど、手づくり感満載の造形が何とも味わい深い。実は、この「城」は単なるオブジェではなく、犬小屋としてつくられたもののようだ。

作者は、この家に暮らす山下弘明《やましたひろあき》さんで、二十年以上前に飼っていた柴犬・ナナミのために、仕事の合間にコツコツと半年ほど掛けて制作した。総工費は五万円だという。

「以前につくった大型の犬小屋が台風で飛んでいったもんで、せっかくだから旅行で見てきた松本城をつくってみようと。完成したあと、最初の一週間は犬も頭を突っ込む程度だったけど、しばらく経つと、ちゃんと中で休んでくれるようになって。犬は雷が苦手だからそれを避けるための部屋もつくったんだけども、そっちは入らなかった」

山下さんは、この地で三人きょうだいの末っ子として生まれた。小さい頃から手先が器用で、小学校五年生の頃に学校で開催された凧揚げ大会では、父親に手伝ってもらい、二畳ほどの一番大きな凧を自作して参加したこともあるようだ。そんな父親は、山下さんが小学校六年生のときに脳梗塞が原因となり、四十九歳の若さで帰らぬ人となった。

中学卒業後は、家計を助けるため市内の溶接会社へ就職した。治工具の製作や旋盤仕事などに従事していたが、将来への不安を感じるようになり、歌手になる夢を理由に二年で退職。「歌手にはなりたかったけど、家計のこともあって実際に上京することはできなかった」と当時を振り返る。しかし、このときに覚えた技術が下地となり、独学での創作につながったようだ。その後は料理店やスナック、トラック運転手、着付け教室の営業職など、短期間に仕事を転々とし、二十三歳からはエネルギー専門商社に勤務。三十三歳のときに十歳下の妻と結婚し、二人の娘を授かった。その商社で十四年ほど働いていたが、三十七歳になると給与面で待遇の良かったバス会社へ転職し、六十五歳まで勤め上げた。

「これまでの仕事は、自分の受け持ちを終わらせると誰かの手伝いをしなくちゃいけない仕事ばかりだった。やることやって早く遊びたい性格だったからいままで転職を繰り返してたんだけども、バスの仕事が自分には合ってた」

山下さんによれば、優良運転手として会社で何度か表彰され、乗客からの評判も良かったという。何より、人から感謝される仕事であった点が山下さんのやりがいにつながったようだ。

「バスガイドをしていた義姉が、遠足でアテンドした子どもたちが拾ってきた仔犬を預かることになったんだけど、家を不在にすることが多いもんだから、うちで飼うことになってハチって名前をつけたわけ。しばらく経つと年老いて元気がなくなってきたもんだから、近所から柴犬を譲ってもらって、ナナミって名付けたの。十年以上前に十六歳くらいで他界しちゃったけどね」

城をつくり始めたとき、近所の人たちから「何をつくってるのか」「変なものをつくって」と冷ややかな目で見られることもあったが、全国ネットのバラエティ番組で取り上げられたことを機に、態度が一変したという。

その後は浜松城の大手門を模した木製の小さなオブジェを制作。当初は野菜の無人販売所として利用していたものの、しばらく経つと管理が大変なため販売を中止してしまったようだ。

そして「こっちにもあるでよ」と案内してもらった裏手の広大な畑には、全長が六メートル、両翼の長さは七メートルもの零戦が置かれていた。山下さんによると、木でつくった支持体の上から農業用シートを貼って塗装を施したもので、映画『永遠の0』をテレビで観たことがきっかけで、五年ほど前に制作したようだ。

「なかなか制作が進まなかったんだけど、近所の人に『今度は零戦をつくる』って言いふらして自分を鼓舞したもんで。その年の十月に開催された祭りで公開するために、急ピッチで制作したのよ」

零戦のプロペラは風が吹くとあまりに回転しすぎるためロープで縛ってあるし、コックピットの運転レバーに至ってはトイレのラバーカップを使用しているなど、ひとつひとつのエピソードが何とも愛くるしい。搭乗体験ができるため、毎年のように近所の幼稚園や保育園の子どもたちが連れ立って見学に来るという。

そんな山下さんの最新作は、昨年三か月掛けて制作したという、高さ三メートルもある札幌時計台の模型だ。「松本城と違って真剣につくったもんで、クオリティが違う」と断言するとおり、その精巧さに思わず目を見張ってしまう。山下さんのつくるものはすべて設計図が存在しないというから、何という空間認知能力の高さなのだろう。

「家の前が通学路になってて、中学生が通るもんでさ。バス会社からもらってきた時計を飾ってたんだけども、雨で壊れちゃってたから、時計あると助かるんじゃねぇかと思ってつくったわけ。実際にうちの時計を見て、中学生が慌てて学校へ行ってるんだよね」

時計台の扉を開けると、災害時に備えて人がひとり横になることができる部屋があり、二枚のブルーシートやフライパンに鍋、ガスボンベなど、備蓄用品一式も常備されている。「今後は五重塔を制

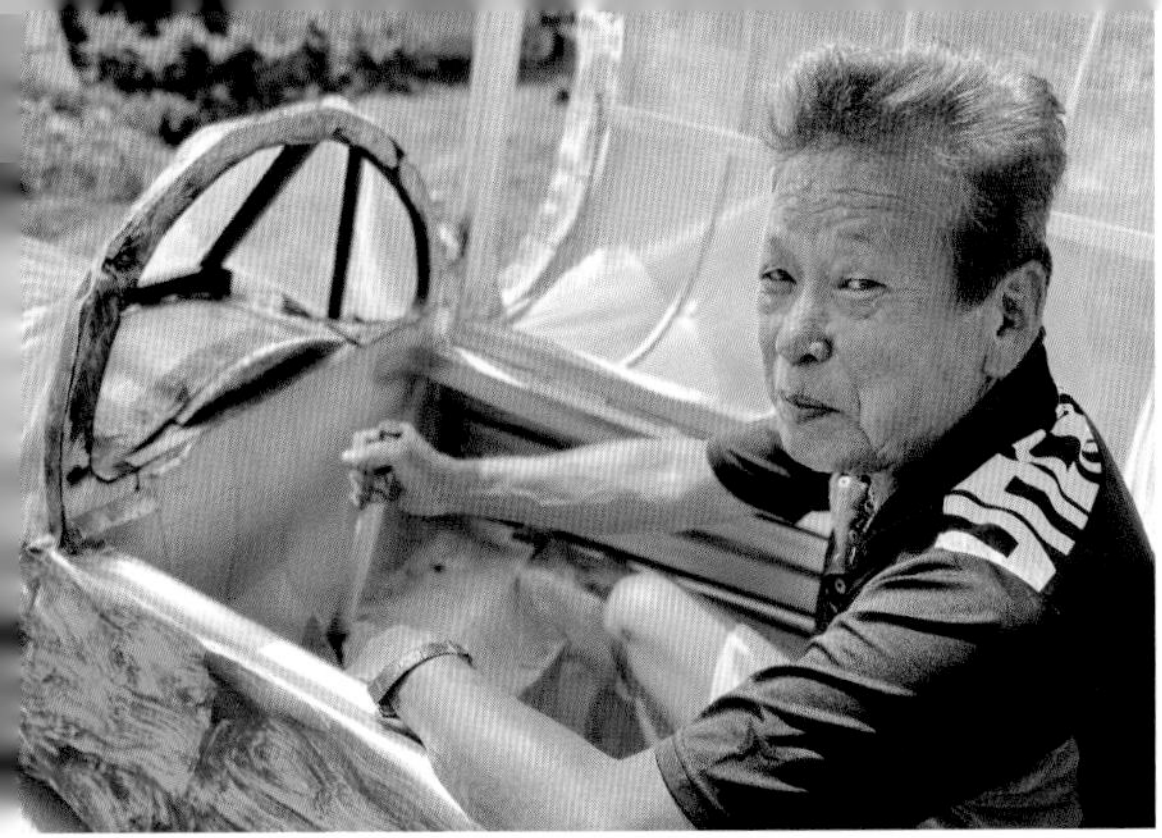
運転レバーはトイレのラバーカップ

作したい」と、山下さんの創作の火種が消えることはまだまだないようだ。

「最近はこの壁に富士山の絵を描いている」という倉庫の中には、床下に大きな穴がぽっかりと空いていた。

「十五年ほど前、北朝鮮からテポドンが飛んでくると騒ぎになったとき、急いで防空壕を掘ったでよ。これが創作のスタートで、雨を防ぐために、この穴に合わせて倉庫を建てたわけ」

何とも豪快なエピソードだ。山下さんはバス会社に勤務していた頃から、「他の人はギャンブル漬けになっていたけど、それじゃ時間がもったいないなと思って。休日も家の中にいて、ずっとテレビ見てるだけじゃ駄目だ」と手を動かし続けてきた。それが評価されるかどうかなんて気にすることもなく、頭に浮かんだものをつくり続けることで、自分の人生を楽しんできたのだろう。

退職後の人生をどう過ごしていくのかは超高齢化社会の大きな課題だが、言い方を変えれば、高齢期は世間のしがらみにとらわれない自由な生活を送ることができる唯一の時間だと言うことができる。人生百年時代に、僕らはどのように充実した余生を送ることができるのだろうか。そのヒントは、山下さんのような先人たちの足元に転がっている気がしてならない。

手掘りの防空壕

愛しき石よ

小八重政弘

Masahiro Koyae　一九五四（昭和二九）年生まれ

ありがとさま
Me Too

屋外に置かれた石の作品

自宅で保管している表情豊かな石

古くから港町や宿場町として発展してきた静岡県静岡市清水区。二〇二二年九月二三日から二四日にかけて発生した台風十五号の影響で、一帯に大規模な断水被害が発生した地域だ。ようやく水が出るようになり、いつもの日常が戻り始めた頃、閑静な住宅街の一角にある邸宅を訪れた。

玄関先に並べられていたのはさまざまな表情を浮かべた石の彫刻で、文字が刻まれたものから、大きな口を開けて何かを訴えるような顔をしたものまである。作者はこの家に住んでいた小八重《こやえ》政弘《まさひろ》さんで、「住んでいた」という言葉の通り、現在は道路を挟んだ新居に家族と暮らしている。小八重さんの案内で三階の居室へお邪魔すると、梅干しのように真っ赤な造形をしたオブジェや金色に輝く大黒天、そして本物と見間違えてしまう小銭入れなど、とても石を加工したとは思えないほどのクオリティの高い作品が至るところに陳列されている。

「外へ置いているのは持って行かれても平気なやつで、あいつらは外に出してるほうが輝いているんだよね。ここに置いてるのは全部一軍で、中には枕元に置いて眺めてるものもありますよ」

小八重さんは、長崎県北松浦郡小佐々町（現在の長崎県佐世保市）で三人きょうだいの次男として生まれた。炭鉱夫として働いていた父親は、石炭の粉塵による吸入が原因で働けなくなったため、小八重さんが小学校一年生のとき、家族で母の実家がある鹿児島に転居した。二年ほど経った頃、父親が溶接の免許を持っていたこともあり、造船業が盛んな静岡へやって来た。小さい頃は天真爛漫な子どもだったという小八重さんだが、小学校五年生での出来事を機に、事態は思わぬ方向へ転がっていく。

小八重さんによれば、ある夜、母親が夜の仕事をしていた店に担任の教師が飲みに来て、「息子の面倒を見てるんだから飲み代はタダにしろ」と訴えたという。母親が拒否したところ、翌日から小八重さんは突然に廊下へ立たされて一番端のクラスまで聞こえるくらいの音で平手打ちをされるなど、教師によるイジメの標的になってしまったようだ。不当な暴力を受けることに耐えきれず、小八重さんは次第に学校を休むようになっていく。それでも「心配をかけたくない」と、決して両親に告げることはなかったという。

息子の異変に気づいた母親が担任教師を問い詰めたところ、その教師はあろうことか「お前みたいな売春婦の子どもは学校へ行かなくて良い」と暴言を吐き、校長が見ている前で母親に殴りかかった。この事件が決定打となり、担任教師は次年度より他校へ異動を命じられたが、教育委員会が問題を処理している二週間ほどの間、小八重さんは校内にあった特別支援学級へ席を置くことになった。

「いまだったら考えられないんだけど、当時は障害のある子だけじゃなくて、差別のために普通学級に在籍させてもらえない朝鮮人の子もいたんです。必然的にそういう子たちと仲良くなって、その期間が自分にとってはすごく居心地が良かったんですよね」と語る。ところが、事件がひと段落してクラスへ戻ると、今度は「暴力を振るわないから良いだろう」とその担任から無視をされるようになった。

「名前を呼ぶときに僕を飛ばしたり、家庭の事情で給食費の納入が遅れがちだったんですけど、『小八重には給食を食べさせないからな』と言われたり、毎日ひどい扱いを受けていました。このときの辛い経験が、その後の人生に影までは落としていないけど、こういう石の中にも表れているんじゃないかな。感情を外に出せない悶々とした思いをずっと抱いてたけど、この石は自分に代わって自由な思いを発出しているんです。だから、叫んでいるように見えるのかも知れませんね」

そんな小八重さんが初めて石に魅了されたのは、小学校六年生のときのこと。月に一度、母親の借金返済へ同行する道すがら、石屋にある研磨された石の綺麗さに一時間ほど見惚れていたことを鮮明に覚えているという。

中学時代は、教育委員会からの配慮もあり、平和に過ごすことができた。ただ、かつて小学校の特別支援学級に在籍していた同級生たちとはお互い意識して言葉を交わすことはできなかったようだ。「場面緘黙《かんもく》でみんなの前では話すことのできない友だちも、僕の前だと饒舌になっていました」と当時を振り返る。人に安心感を与える空気感を小八重さんはまとっていたのだろうか。

高校は二年で中退し、タレントになることを目指して上京した。養成所へ通い、小さな劇団へ所属して演劇に取り組んだが、どんなに頑張っても手のアップだけしか使ってもらえなかったり、劇団内の人間関係で悩んだりしたため、二十歳の頃に静岡へ帰郷。その後は、同級生から誘われてヒッチハイクで向かった沖縄で五年ほど演劇に携わり、静岡へ再び戻ってきたのは二十六歳頃のことだ。しばらくアルバイトをしながら演劇を続けていたが、知人からの紹介で三十歳のときに清水区にある石材店へ就職し、工場長として六十六

リアルな小銭入れも石でつくられたものだ

歳まで勤め上げた。

当初、石を磨く仕事に従事していた小八重さんは、作業の練習を兼ねて、会社で使い物にならない石を自主的に磨くようになった。最初の頃は長方形などの形が定まった石を磨いていたが、やがてそれだけでは飽き足らなくなり、自らの修練のために凹凸のある自然石を拾い集めるようになった。そんな折、自作した石のコースターを社長から誉められたことを機に、石でいろいろなものを制作するようになったようだ。そして四十歳のときには、社内で墓石に文字を入れる字彫り担当を命じられることになる。

「庵治《あじ》石っていう高級石材を使っていたこともあって、字彫りって一発勝負で失敗ができないんだよね。ひとつの文字でも、浅く彫ったり深く彫ったりとメリハリをつけなきゃいけないから、練習になるなと思って石に顔を彫るようになったわけ。でも、やっていくうちに取り憑かれるように次々と彫りたくなっちゃってね。会社の昼

小八重さんの作品たち

休みにサンドブラストを使って顔なんかを彫って緊張をほぐしたあとに、墓石の字彫りに取り掛かるわけ。エアーの出具合も良い感じに馴染んでくるんだけど、あんまりサンドブラストを使いすぎるもんだから『この頃、電気代が掛かるようになった』って会社から文句言われることもあったね」

出勤前などにはズタ袋を抱えてバイクで浜へ石を拾いに行き、昼休みに石についた泥を会社で洗い落とすことが小八重さんの日課となり、他の従業員から「また石を拾っているよ」と揶揄されることも多かったようだ。その技術は年々向上していったが、驚くことに下書きは一切しないという。

「次第に、拾ってきた石が『顔を彫ってくれ』と言っているような気がしてくるんだよね。石を拾って、その石のことばかり考えるようになったときは、『これは拾っちゃいけない石なんだ』と思って海に戻しているわけ。でも、半年ほど所持していて、その石が『もう、どうにでもしてくれ』って訴えているように感じたらまさに彫り時というか、そのあと良い顔に仕上がることが多いんだよね。こいつらは誰にももらわれなかったわけだから、例えるなら俺と石のマリアージュなわけ」

退職するまでの間、小八重さんは仕事の合間に三千点に及ぶ作品をつくり続けた。「できたものを持って帰ってたんだけど、女房からは『重さで畳が抜ける』と怒られてたけどね」と笑う。寄贈したことはあるが、販売目的で制作したわけではないから、これまで売ったことはないという。

そんな小八重さんは、六十一歳のときに初期の胃癌と診断され、胃を三分の二ほど切除。現在は定期的に人工透析治療を受けており、サンドブラストも手元にないため、退職してから創作に取り組むことはないようだ。

「毎日のように、会社で石を彫ったり磨いたりしている姿を夢に見るんですよ。知らない従業員から、『変なおじさんが会社に来てます』

と言われて目覚めちゃうんですけどね。でも振り返ると、こうして透析してることもあるけど、良い人生だったと思いますよ。やれないことも多いけど、その分、人生にやれることも多いなと気づきました。まだこうして階段だって昇れるし、朝になれば目を開けることだってできる。こいつらを眺めていると、特に生きてるってことを実感するんですよ。つくったときの感情や時代背景を思い出しますね。いまここにいるこいつらは残るべくして残ったやつらで、どこかの家に行ったやつは、きっとそこでかわいがられたりしてるだろうから」

「こいつら、あいつら」という小八重さんの発言の端々からは、石に対する愛着を窺い知ることができる。きっとわが子というより、自分自身の分身のような存在なのだろう。そして、僕らが想像している以上に長い時間を掛けて石に愛情を注いできた小八重さんを羨ましくも感じてしまう。小学生のときの教師から受けたイジメ体験だけでなく、もしかするとこれまでの人生においても、不遇な扱いを受けたことがあったのかも知れない。そうしたもの言えぬ思いを代弁する存在が、小八重さんにとっては「石」なのだろう。「みんな気持ち悪いって言うんだけど、俺にとってはかわいくて仕方ないんだよね」と目尻を下げて見つめる視線は、優しさにあふれていた。

あふれんばかりの喜び

杉村聡

Satoshi Sugimura

一九五四（昭和二九）年生まれ

工房の様子

「木人（きびと）」と
名づけた人形

豊かな表情を見せる木人たち

¥400

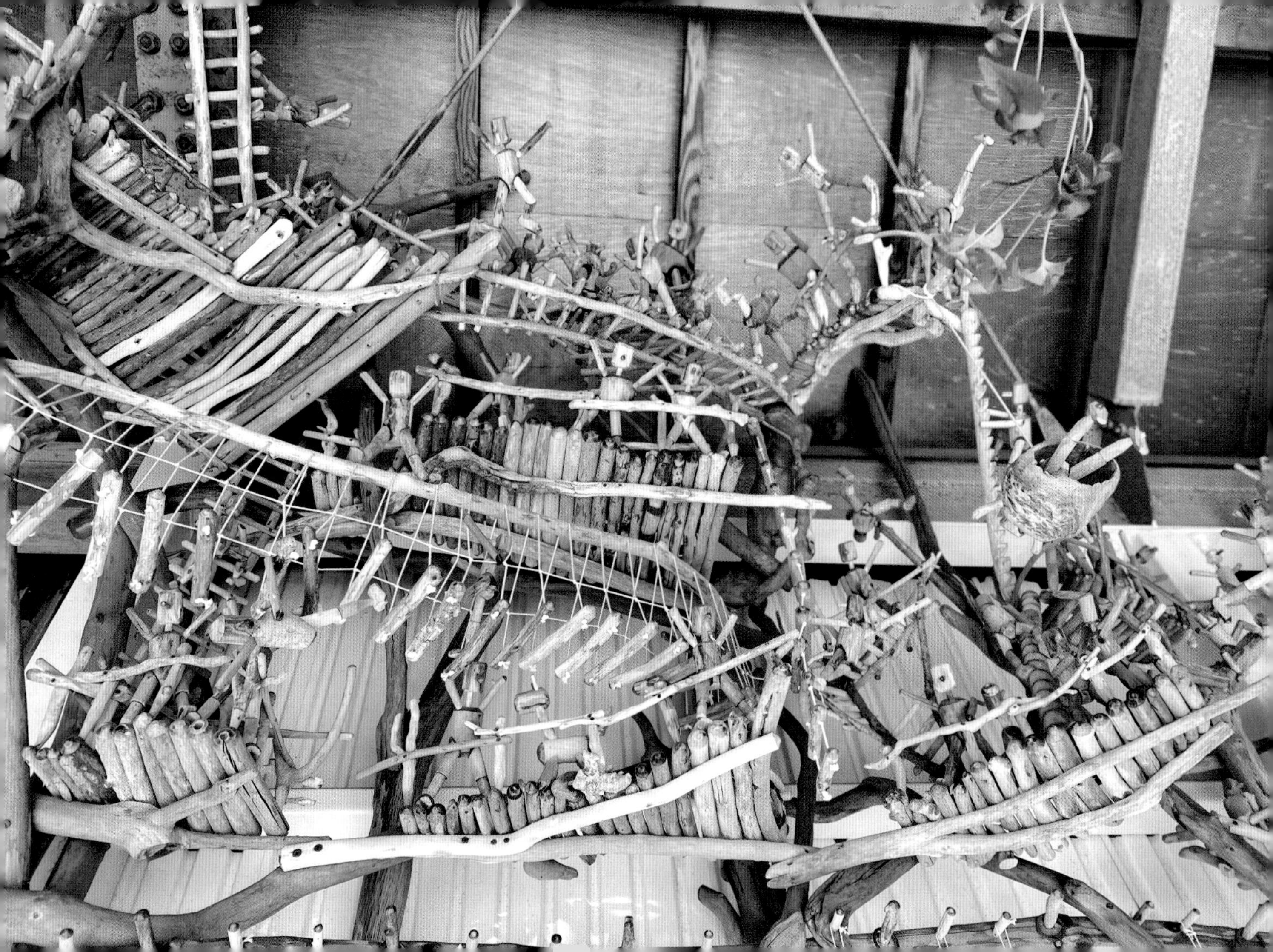

静岡県中部、大井川の両岸に位置する島田市。閑静な住宅街の一角に「さとし工房」という看板を掲げた工房がある。倉庫を利用した工房の入り口をくぐると、無数の木製人形が並んでいる。その多くは天井に張られた糸から吊り下げられたもので、どうやらモビールとしての役割を果たしているようだ。千体近くはあるだろうか。吊るされた人形が、風でゆらゆらと揺れている。

「五百体までは数えてたんですけどね。すべて流木を拾ってつくったものなんです」

そう声をかけてきたのが、こうした作品群の作者、杉村聡《すぎむらさとし》さんだ。杉村さんは、主に退職後から創作活動を開始。かつては駐車場として使っていた倉庫だが、いまではギャラリーと化してしまったため、娘の車も駐車できなくなってしまったようだ。「日曜日は地域の子どもたちのために、工房を無料開放している」と語る。

杉村さんは、一九五四年に静岡県榛原郡初倉村（現在の静岡県島田市）で専業農家の両親のもと、三人きょうだいの長男として生まれた。小学校の夏休みの宿題では、セロハン紙を使って一畳ほどのステンドグラスを制作したり、木の枝をカットして小さなログハウスをつくったりと、小さい頃からものづくりが好きな子どもだったようだ。中学に上がると姉の影響で音楽が好きになり、吹奏楽部へ入部し、三年間テナーサックスを担当した。父親にねだって買ってもらったフルートを演奏したり、姉の真似をしてクラシックギターを弾いたりと、音楽の道に傾倒していったようだ。

ところが高校へ入学すると、体力をつけるためという理由で水泳部へ入部。好成績を残すことはできなかったが、大学まで水泳を続けた。当時は高校の選択教科も音楽を選ぶなど、美術を専門的に学ぶ機会はなかったようだ。

「高校の先生が雄弁に世界史を語る姿に惹きつけられて、世界史が大好きになりました。歴史に関する番組がテレビで放送されれば、ノートと百科事典を抱えて観るようになっていました。だから、文学部史学科か教育学部社会科で世界史を学びたかったんですけど、学力が足りず駄目だったんですよね。代わりに第六希望で書いていた『小学校図工』に引っかかってしまって」

静岡大学教育学部で美術教育を学ぶことになったが、芸術系大学を目指していたわけでもなく、特段に美術を学んできたわけでもない杉村さんは、劣等感を抱いていたようだ。

「授業で木炭を使って絵を描いても、先生から『ガーゼをよこせ』と言われて、描いていた絵を消されたこともありました。『なんでここに入学したんだろう』とずいぶん後悔しましたよ」

次第に学内にも自分と同じ境遇の人たちがいることを知り、仲間ができたことで学生生活も楽しくなっていった。「『お前のペースで描いたら良いんじゃないか』と友だちに言われたことで、描くのが楽しくなったんです。そのうちに美術を選んで良かったなと思うようになりましたよ」と当時を振り返る。

卒業後は、小学校で美術教諭として勤務した。数年ごとに幾つかの学校を転々とする中で、転機が訪れたのは三十五歳頃のこと。赴任したばかりの小学校で五年生の主任を任されていた際に、翌年春から附属中学校への異動を突然命じられた。まさに寝耳に水だったようだ。

「『何か問題を起こしたんじゃないか』と母親からも心配されました。中学の教師をしていた親戚からも『附属中学は大変だぞ』と言われて、結局六年勤務したんですが、本当に激務でしたね。ワープロを打ち始めた頃で、研究へ没頭するようになりました。それだけで俺の人生終わっちゃうのかと思ったら、何だかたまらなくなったんです。そこで自分にノルマを課すように絵を描き始めました」

授業で子どもに教えるために花の絵などを積極的に描いていたが、早朝に大井川へ出掛けてスケッチをするなど、あるときから本格的に色鉛筆で風景画を描くようになった。

そんな杉村さんにもうひとつの転機が訪れたのは四十八歳頃のこ

と。自宅の建て替えに伴って庭のウッドデッキに設置する机やテーブルを自作していたが、やがて杉村さんの興味は花台制作から流木を使ったモビール制作へと移行していったというわけだ。校長として勤務していた中学校では天井の高さを利用して、自宅で制作したモビールで校内を装飾したこともあるという。

「流木の魅力は、自然そのものに目を向けることができる点です。流木を見ていると、それまで『汚い』と思っていた流木への認識も変わってくるんです。そういう変化を感じられる自分が嬉しいし、木の形を眺めているといろいろとイメージが浮かんでくるのが楽しいんですよね」

退職してからは、作業場にするために、半年掛けて山積みになった農機具の倉庫を整理し、工房として整備。流木を加工し「木人《きびと》」と名付けたさまざまなポーズを取る人形だけでなく、石に絵を描いてペーパーウェイトをつくるなど、精力的に作品制作を始めた。

「木人は、切断した木同士を銅線で結合してボンドで接着しています。一個つくるのに三時間ほどかかりますね。つくったり描いたりしているときが楽しくって、完成するとすぐに次をつくりたくなっちゃうので、できたものにはあまり執着がないんです。最終的には全部捨てられちゃうかもだけれど、ひとつひとつが僕にとっては自分の生きた証なんですよね。知り合いからは『お前だけ、好きなことが見つかってええなぁ』と羨ましがられています」

かつて夏目漱石は『草枕』の冒頭で「あらゆる芸術の士は人の世を長閑《のどか》にし、人の心を豊かにするが故に尊い」と述べ、住みにくい人の世を住みよくするのが芸術の役割だと主張した。自らの人生が「無」であることを避けるために杉村さんが創作を始めたように、芸術には常に「人生を豊かにすることができるかもしれない」という期待がかけられてきたし、そうした役割を担うには芸術は好都合だったとも言える。「若い頃は丸一日図工の授業をしていたこともあった」と語るように、教育現場に身を置きながらも、杉村さんは自分のやりたいことを追求し続けてきた。その柔軟な発想が、定年後にまるでリミッターが外れたように、過剰なまでの制作を後押ししたのかも知れない。数えきれないほどの木人を眺めていると、そのひとつひとつに「つくる喜び」という原初的な快楽があふれているようだ。周囲の評価を気にすることもなく、まるで少年時代と同じように、夢中になってものづくりができるなんて、どんなに羨ましいことだろうか。

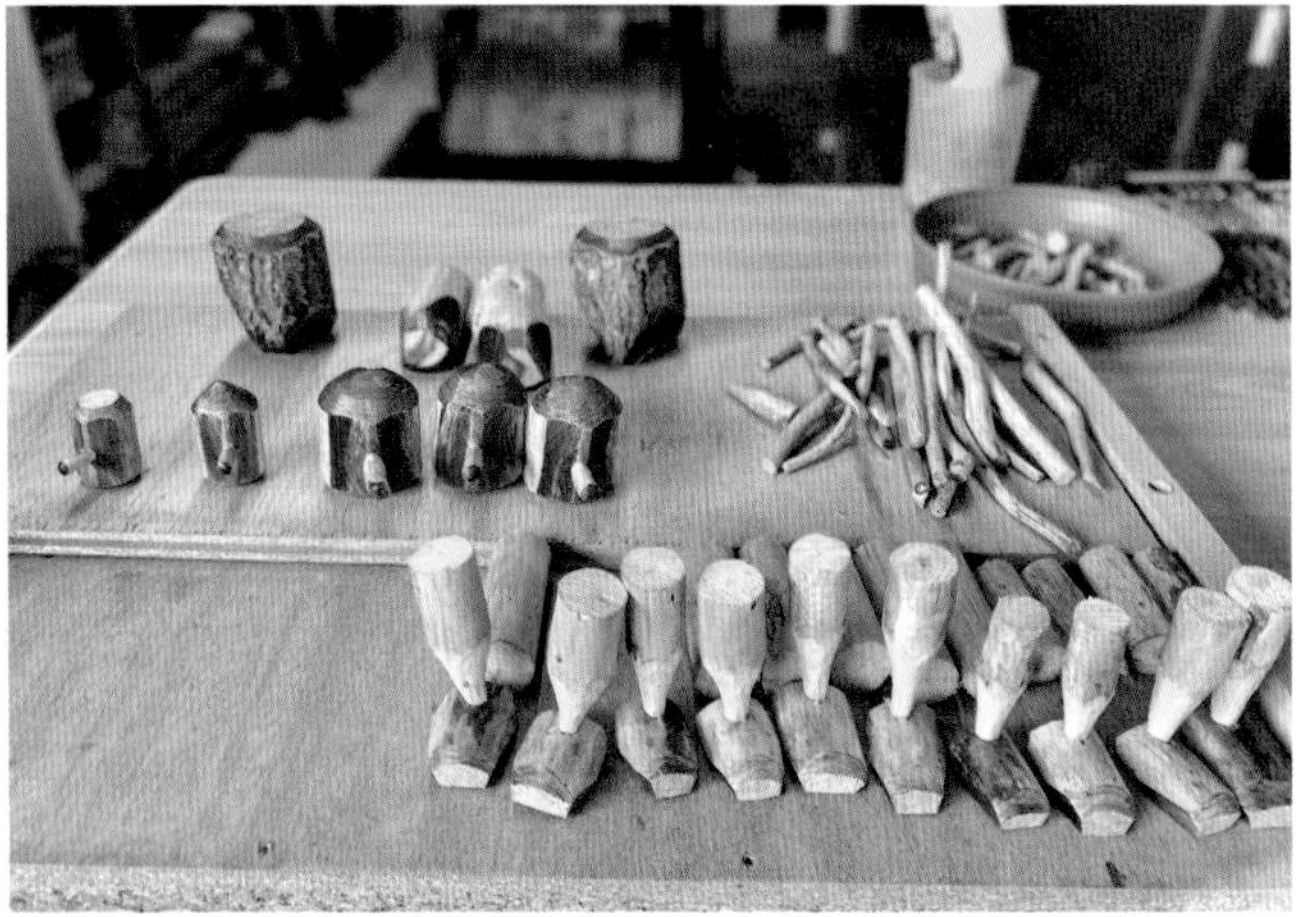

スクラップアンドビルドの創造主
堀江日出男

Hideo Horie　一九五四（昭和二九）年生まれ

TOP

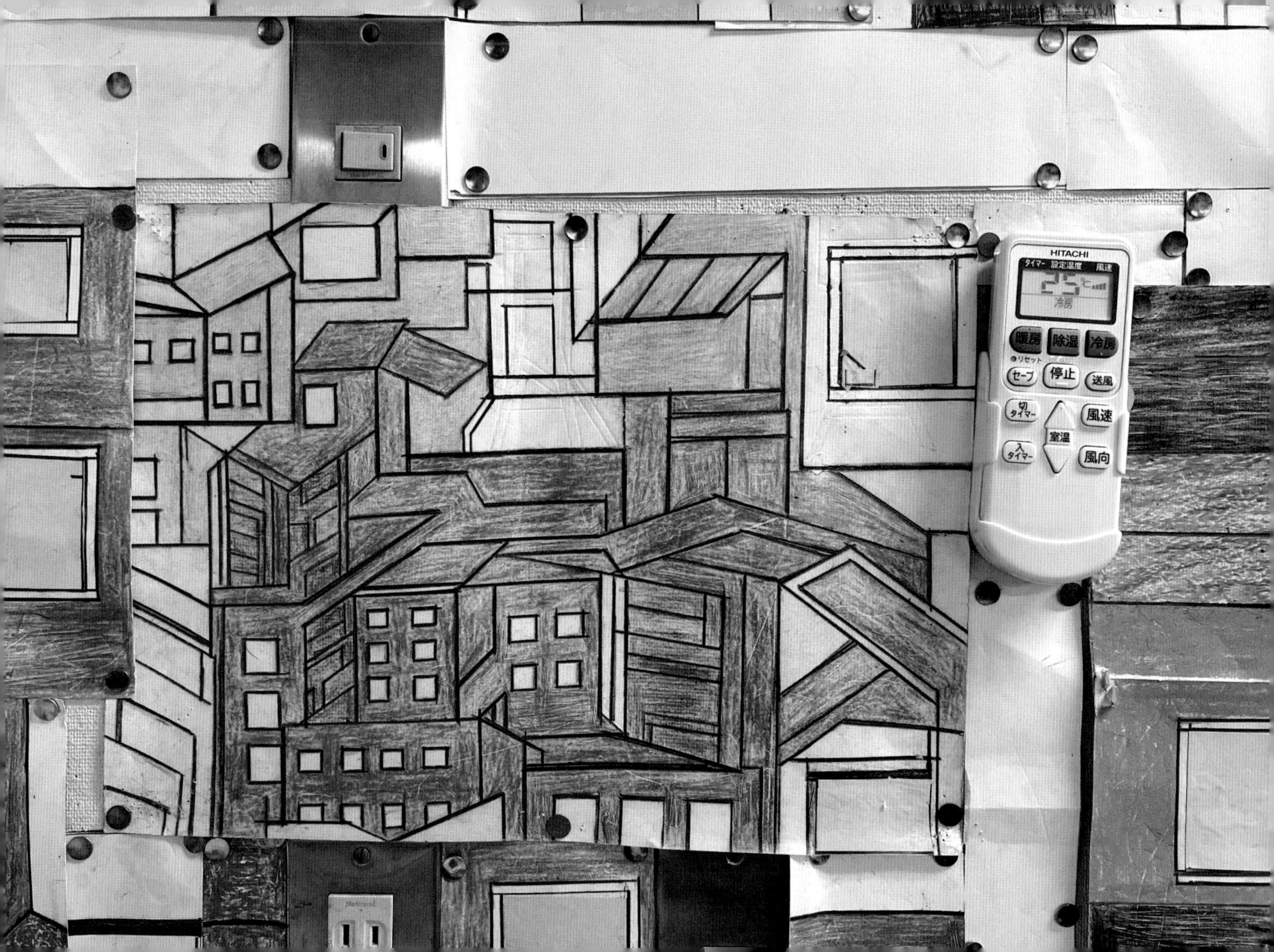
HITACHI
タイマー 設定温度 風速
25℃
冷房
暖房
除湿
冷房
リセット
セーブ
停止
送風
切タイマー
風速
室温
入タイマー
風向

紙を継ぎ足した
カモメの絵

六十五歳以上の割合が三十六パーセントを超えるなど、高齢化が進む大阪市西成区。とりわけ、高度経済成長期から「日雇労働者の街」として知られてきた北部にあるあいりん地区は、働き手だった人たちが年をとったことに加え、他の地域から生活に困窮した中高年男性たちが新たに流入したことも相まって、著しい高齢化の様相を呈している。二〇〇〇年代からは生活保護受給者の急増に伴い、貧困者が多く居住する「福祉の街」としての色合いを強めてきた。

あいりん地区では近年、社会的孤立の深刻化が問題視されているが、単身高齢生活保護受給者の社会的つながりをつくるために設立されたのが「ひと花センター」だ。保育園跡地を利用した建物は安心して集うことができる日中の居場所として、レクリエーションなどの活動が日々行われている。

「奥いっとる、ずっとな。下いっとる。ずっと横いっとる。一つ、二つか、三つか。こっちずっと下へいっとるんや。描けん。一つ二つ、下へいっとる。これがあるからな、これを外すか。これ外しとけ、直しとけよ。こことここを描くから。いっぺん外しといてみ」

ひと花センターの中で、壁に向かって、まるで誰かと対話するかのように独り言を呟いている男性がいる。その人の背中越しに見える壁面の一角には幾何学模様のような絵画が貼り巡らされており、押しピンを外して自分が描いた絵の入れ替えをしようとしているようだ。どうやらこれらは「建物」を描いた絵であり、その豊かな色彩と構図に惹き込まれてしまった。

くるりと向きを変えて振り返った作者は、堀江日出男《ほりえひでお》と名乗った。一九五四年に生まれた堀江さんは、幼少期を兵庫県神戸市の親戚の家で過ごしたようだ。さらに話を伺おうとすると「そんなこと、もうええやんか。昔のこと嫌やから。とにかくもう、おかしゅうなってもうてやなぁ。行くとこあらへんねんやから、三年ほど前に釜ヶ崎へ来たんやから。絵の話しようなぁ」と突然声を荒げた。誰だって触れられたくない過去がある。特にこの地に集ってきた人たちは、何らかの事情を抱えている人も多いのだろう。何も知らない僕は、早速その琴線に触れてしまったわけだ。

「うちのスタッフも、堀江さんがこれまでどんな生活を送ってきたのか知らないんです」とスタッフの好川拓さんが助け舟を出してくれた。好川さんによると、彼がやって来たのは、二〇二〇年四月のこと。コロナ禍で多くのプログラムが稼働できない状況の中、ひとりで数字パズルゲームを解いたり、ひと花センターで飼育している動物の世話をしたりして、しばらくは他の人たちとコミュニケーションを取ることもなかったようだ。二年ほど前、スタッフの勧めで写真を見ながら描いた船の絵がひと花センターの広報誌の表紙に採用されたことを機に、堀江さんは絵の世界へ没頭するようになった。

「ここへ来てから描き出した。いままでずっと絵なんか描いてなかったから。ここへ来てやな。なかなかいけるな思うて、いっぺん絵描いてみようかな思うて。することないしな、毎日毎日絵を描いとったわけや」

当初、堀江さんは図鑑を見ながら動物や乗り物を描いていたが、そのまま模写しているわけではなかった。図鑑から虎や象など特定のイメージを抜き出し、別の風景と組み合わせていくのだという。興味深いことに、手前に描いた動物の足元に川が流れているなど、好みの構図が存在しているようだ。近所の百円ショップで購入したという安価な色鉛筆やクレパスを使っているためなのか、力強い筆圧で塗り込んでいくのだが、それがかえって水面の躍動的な描写を生み出している。

堀江さんが描いた画用紙の束をめくっていくと、凹型に刻まれた作品を発見した。

「ここんとこ、猫を描いとったんや。穴空

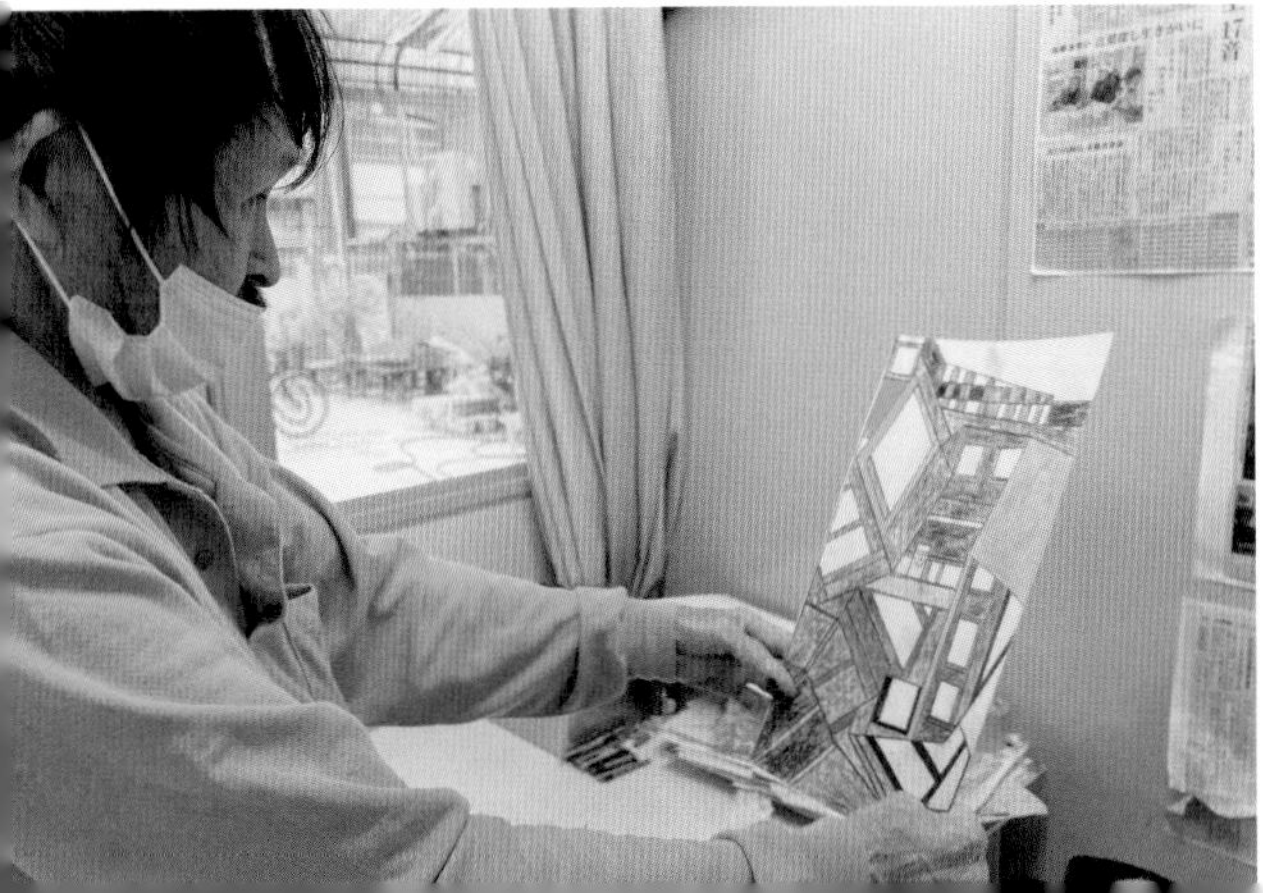

いたってな、まずいもんな。画用紙で貼っとくわ」と語る。気に入ったイメージが生まれると、まるでDNAを受け継ぐようにハサミで画用紙からその一部を切り取り、別の作品へ転用していくこともあるそうだ。反対に、画用紙からイメージがフレームアウトすると、その部分は紙を継ぎ足して描くこともあるという。

そして実際に切り取ったり貼り付けたりするだけではなく、堀江さんが生み出したイメージは、さまざまな絵にも転用されていく。「お寺や神社の写真を見ながら庭の絵を描いていたんですけど、あるとき、そこから石垣だけが独立して、別の画面へ登場するようになったんです」と好川さんは教えてくれた。時期によって描くテーマは異なっているものの、樹木や石垣、煙突などのモチーフは現在の「建物」の絵画として日の目を見るために、それぞれ別の画用紙で修練されてきたようにさえ感じてしまう。

好川さんによると、堀江さんがいつから壁に貼るようになったのか正確な時期は不明だが、二〇二一年五月には堀江さんが壁に貼る様子が写真に収められているというから、絵を描き出してから数か月以内の出来事であることは間違いない。酒を買ってはひとりで家飲みをするという時間が一日の大半を占めていた堀江さんだったが、絵と出会ったことで生活は一変。生活費の一部で画材を購入するようになり、飲酒量も減少した。毎日のようにひと花センターを利用するようになって、利用者の中で絵を描き続けているのは、堀江さんだけとなった。

好川さんの話では、堀江さんは描いた絵すべてを壁に貼っているわけではなく、出来栄えが良い絵を自ら選別し、その中からさらに

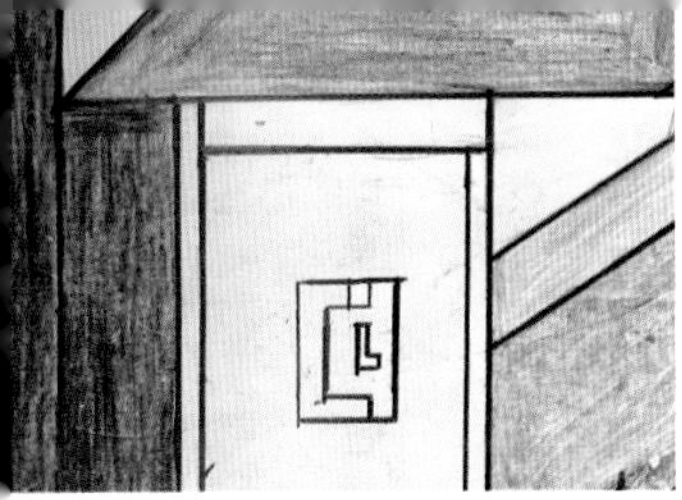

L字マークは鍵だそう

選んだ絵だけを壁に貼っているのだという。そのため、堀江さんの中で選外となった作品は、色を塗られることもなく画用紙の束の中に埋もれてしまう。施設の中で彼に与えられた壁のスペースは無限ではないため、わずかなスペースを駆使して堀江さんは絵画を貼っていく。以前に撮影された写真と比較してみると、最近では柱の角をうまく利用したり、壁の前にある電子レンジなどを一旦移動させて貼ったりと、壁の面積を最大限に活用していることがわかる。

「描いたあとは、気持ちはなんもすっきりせんけど、貼ったあとは落ち着くよ。でも、もう壁があらへんからな。どっか、ずっと貼っておけるところないかな」と言う堀江さんにとって、壁に貼るという行為は大切な儀式のようだ。

堀江さんは、一旦描き始めれば、一日五、六枚という驚異的なスピードで鉛筆を走らせていく。ところが壁へ貼り出す時期になると、壁に向かって半日ほど独り言を呟きながら悩んでいることも多いようだ。約一年の間に描き溜めた絵は五百枚にものぼり、二〇二二年五月には、堺市にあるギャラリーで初個展も開催した。「もういちまい」と次々と画用紙を要求する堀江さんの言葉が、個展のタイトルに採用された。

「荷物なってまうからな、あとは任すわ」と、堀江さんは描いた作品に対して、ほとんど執着を持ってはいない。そうなったときに、日々量産されていく作品を今後どうしていくかが周囲でサポートを続ける人たちの課題として挙がるようになった。仮に作品が数点売れたとしても、未来永劫売れ続けていく保証はどこにもない。モチーフが時期によって変化するため、作品が散逸することを防ぐにはまとめて販売する必要があるし、作品が売れて収入が増えると、生活保護が受給できなくなってしまう可能性だってある。「芸術」に片足を踏み入れてしまったがゆえに、関係者の間ではさまざまな不安要素も浮上しはじめたが、そうした周囲の悩みなど一蹴してしまうかのように、堀江さんは語気を強める。

「とにかく、この絵には間違いないいんや。いったい、何かちょっとわからへんねん。これが全部ひとつでな、何かなんやこれは。描いた本人やけど、いったい何なのかわからへんねん。でも、この絵には間違いないんや。だから、この絵に何かがあるんや」

この「間違いない」という言葉の強さは何なのだろう。「俺は描き方を知っとるから。これ見りゃわかるやろ。これにつなげるやつがあるんや。もう頭の中に入ってるんや。描き出したら次から次へ浮かんでくるんや。だからわかるんや」と続く言葉の端々にも、自信が満ちあふれている。

堀江さんによると、描いている景色はすべて空想であり、建物の中に人が登場することはなく、実際の建築物などを参考にすることもないという。あくまで憶測の域を出ないが、堀江さんは生きにくさを感じる現実世界とは別の世界を絵の中に構築することで、創造主として自らの絵画世界に君臨しているのではないだろうか。その世界では常にスクラップアンドビルドが繰り返され、「ちょっと、これおかしいな。これちょっと直せや、あと全部いけた」と施工前には白熱した議論が展開されている。ただ、建物には人が住んでいないから、どんなものが建てられようと苦情を言う人もいないし、争い事が起こることもない。すべては堀江さんの意のままにあるのだ。

何度も貼ったり剥がしたりを繰り返された画用紙は、堀江さんにとって一級品の証なのだろう。四隅には、いくつもの穴が勲章のように空いている。「これは、こっちの方向や」と向きを確認しようと窓越しに透かした画用紙の穴からは一筋の光が差し込み、その光の軌跡は、まるで夜空に浮かぶ星座のようにも見えた。この星座は、堀江さんをどんな世界に導いてくれるのだろうか。

（二〇二三［令和五］年没）

たったひとりのパラダイス

松下勤

Tsutomu Matsushita

一九五四（昭和二九）年生まれ

Panasonic
敵は本能寺にあり
明智光

陽気ぐらし
ギャラリー
ツト房
2F
夢工房　ツト房
一日生涯
松下宿

広大な敷地に広がる松下さんの作品群

松下さん手書きの看板

陽気ぐらし
の天理教
ハイキング・ショートコース
清水花街道
OPEN
HJ-3567

フジバカマの鉢の棚

静岡県西部に位置する掛川市は、江戸時代から掛川城下の宿場町として発展を遂げてきた土地だ。駅から車を走らせていると、「陽気ぐらし」や「夢の始まりはここから」などの手書き看板や個性的なオブジェが乱立している場所が目に留まった。急いで車を停車させて敷地内を眺めていると、向こうから大柄な男性が近づいてくる。

「ここは七年ほど前から、裏山をひとりで切り開いてつくった場所でよ」

そう教えてくれたのは、こうした作品群の作者である松下勤《まつしたつとむ》さんだ。六十八歳になる松下さんは、一九五四年に五人きょうだいの長男として、この地で生まれた。小さい頃から缶蹴りや野球など身体を動かすことが大好きで、中学高校の六年間はバスケットボールに熱中した。「進学は考えてなかった。裕福じゃないもんで、すぐにでも就職せないかんからな」と、高校卒業後は浜松市にある電気設備資材の販売会社へ勤務した。「最終的には掛川市の営業所へ異動になったんだけど、家の事情で三年ほどで辞めた」と当時を振り返る。

「祖父の代から天理教を信仰してるもんだから、奈良県天理市の天理教教会本部へ自主的に一年ほど修行に行って、詰所で暮らしてた。そこでは天理教の教えを教わったり、おつとめを勉強したり、太鼓や笛などの鳴り物を学んだりしたね」

地元へ戻ってからは、運送会社の配車係として働いた。ドライバーの不在時には、代わりに運転業務を務めることもあったようだ。長年勤めていたが、人間関係のトラブルにより五十九歳で早期退職した。会社勤めをしていたときの唯一の趣味はパチンコで、休日も朝から店に並ぶほどハマっていた。その頃は、ものづくりなどまったくしていなかったという。そんな松下さんにあるとき、転機が訪れる。

「仕事を辞めて暇でやることとなかったし、裏山のせいで自宅があまりにも陽が当たらないもんで、地主に『自由に切って良いかね』と相談して。初めてチェーンソーを使ってみたら、木を伐採する喜びに感動したのよ。最初は、毎日のように伐採した木を母親が焼却してたんだけど、近所の人が通報して消防署が来たこともあったな」

最初はヒノキや杉を伐採するだけだったが、やがて伐採した膨大な木の処分に困り、それらを使って造形物の制作を始めるようになった。退職してから三年ほど、知人に誘われて雑務を手伝っているうちに、チェーンソーの使い方などを自然と習得したようだ。やがて空き家の片付けも手伝うようになり、四年ほど前からは、そこでもらってきた不用品をインターネットのオークションサイトで売り、生活の足しにするようになった。ところが、次第に不用品の数が増え、やがて自宅を埋め尽くすようになり、あるときからそうした不用品と伐採した木材とを組み合わせ、独自の創作物をつくるようになったというわけだ。設計図など描くことはなく、制作途中にアイデアが閃いていくのだと言う。看板を削って文字を彫ったり、廃材を組み合わせたりするだけでなく、アーチェリー練習場や釣り堀をつくったりと、松下さんの創作意欲は尽きることがないようだ。山の斜面には、運送会社で働いていたときに入手したドラム缶が置いてあり、その表面には「敵は本能寺にあり　明智光秀」と記したり、真田家の家紋をくり抜いたりと、あらゆるものが松下さんの手にかかれば作品の素材となってしまう。

「地主からは『放棄地だもんで、何してもいいよ。むしろ、綺麗にしてくれて助かる』と感謝されてんのよ。近所の子どもたちからは、『おじさんの体が悪くなったら、このガラクタどうすんの』と心配されてるし、きょうだいたちからは『馬鹿だね、どうするだね。私ら片付けるのはやれへんで』と言われてるけどね」

松下さんによれば、空き家の片付けに行った際に「処分に困っている」と告げられれば、つい持ち帰ってしまうのだという。そうした廃品を家で眺めているうちに、次なるアイデアが浮かんでくるようだ。そのため、「やってて面白いから、途中でやめようと思ったことなんてない」と語る。

さらに数年前からは、義兄からもらった鉢でフジバカマを育て始めたことで、日本で唯一「渡り」をする蝶として知られるアサギマダラが、毎年十月中旬から一か月ほど飛来するようになった。アサギマダラの蝶が立ち寄る場所という意味も込めて、この地を「松下宿」と命名したようだ。アサギマダラが集まる時期には、毎日十人くらい蝶を眺めにくる人がいるものの、これまで一度も制作に関する取材などは受けたことがないのだという。統一感のない作品が敷地内の至るところに点在しているが、そうした制作の根底にあるのは、「陽気ぐらし」という天理教の教えだ。

「毎日『朝づとめ』として、朝六時半から教会で経典を読んだり、鳴り物を鳴らしたりしてるでよ。特別に熱心な信者ってわけじゃなくて、ただ惰性で信仰してるだもんで」

そう松下さんは謙遜するが、これまでの人生において独身を貫いてきた松下さんの唯一の心の拠り所が天理教だったのではないだろうか。目に見えない宗教の世界を信仰する中で、それを具現化するかたちで実現したのが退職後の表現活動だったのだろう。天理教の教えが目指すところは、「この世に陽気ぐらし世界を実現すること」とされている。教典によれば、世界はこの世ひとつだけで、「あの世」のような異世界は存在していない。つまり、この現実世界でいかに心豊かにしっかりと生きるかということが問われているわけだ。そう考えると、「晴れやかな

アーチェリー練習場

喜びに包まれた楽しみづくめの暮らし」のことを指す「陽気ぐらし」という言葉を理想とする教えにもとづいて、この場所で自分だけの理想郷を具現化しようと試みている松下さんの創作には、妙に納得してしまう。誰に見せるわけでもないけれど、松下さんは誰かに楽しんでもらうことをただひたすらに願っている。そんなたったひとりの孤独なパラダイスが、ここには広がっている。

彼方からの宿題

上林比東三

Hitomi Kanbayashi

一九五二（昭和二七）年生まれ

ワニラ サウルス
ワニとティラノサウルスの
ハーフ

オオカミ女

カーペイント・ヒトミの外観

エアブラシによる仕事の数々

発泡スチロールを加工した《原始人のアジト》

TEL 77-10

京都府北東部にある日本海に面した海の町、舞鶴市。西舞鶴駅から車で十分ほど走ったところに、静かな田舎町の中でひときわ異彩を放つ場所がある。宇宙人や動物をあしらった大型の造形作品がたくさん並べられ、その多くに流木が素材として使われているようだ。金や銀色に塗装された宇宙人の頭は理美容師の練習用マネキンを再利用したもので、その横には吹き出しで独自に考案された「宇宙語」まで手書きで綴られている。何よりミスマッチなのは、ここが自動車の鈑金塗装店ということだ。展示された大型の造形物の中には、ワニとティラノサウルスのハーフだという「ワニラサウルス」や「オオカミ女」などユニークな名前がつけられているものもあり、見ているだけで楽しい。

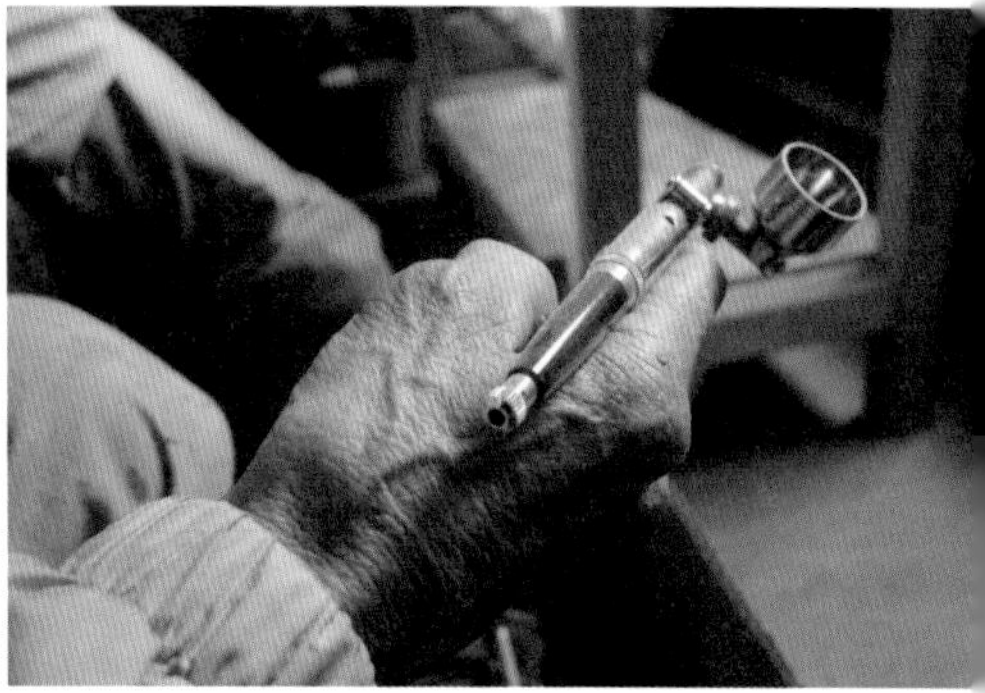

「なんとも言えないセクシーな流木を見つけたんですわ。これは女の感じのものをつくりたいと思って。狼男とかよくありますやん、だから『オオカミ女』をつくったらいいんやないかと思って、制作したんですわ」

声をかけてきたのが、この自動車鈑金塗装店「カーペイント・ヒトミ」のオーナーで、作者の上林《かんばやし》比東三《ひとみ》さんだ。現在六十八歳の上林さんが制作を始めたのは、五年ほど前のこと。これまで三百体以上を制作し、いまや地元のテレビや新聞にも登場するなど、ちょっとした街の有名人になっている。

一九五二年に東舞鶴市で農家の次男として生まれた上林さんは、小さい頃から絵を描くことが好きな子どもだった。小学校五年生のときには「将来は看板絵師になりたい」と夢を見ていたが、母子家庭で稼ぎ手が必要だったこともあり、中学校卒業後は西陣の織元で丁稚奉公として住み込みで働いた。そこでは帯の図案制作の修業に励んでいたが、あるとき「パンクした自転車を直しに行ってこい」と主人に雑用を頼まれた。近くの自動車修理店へ駆け込んだ上林さんは、そこで運命を変える光景を目にする。

「油まみれになって従業員の人たちがバイクや自動車を修理しとったんやけど、僕がいままで知らんかった世界だったから、『なんか面白そやな』と一気に引き込まれたんですわ」

あまりに感動した上林さんは、思わず手持ちの給料の中から、原動機付自転車を新車で購入。お盆休みに実家へ帰省したとき、舗装されていない田舎道をその原付で走っていたところ、転んで足を怪我してしまう。そこから、まるで緊張の糸が切れたかのように二年ほど働いていた織元を突然退職し、十七歳で舞鶴にあった大型自動車の修理会社へ就職した。車の修理だけでなく、持ち前の器用さでスプレー缶などを使って車の塗装をしていたところ別の板金会社の社長の目に留まり、「いまより給料を二万円ようけやるから」と言われて二十二歳でその会社へ転職した。

「そこに三年ほど勤めとったけど喧嘩して辞めて、フリーランスとして修理会社に戻ったんですわ。二十八歳のときにはまた別の板金会社へ一年ほど行ったけど、また喧嘩して辞めてな。当時は工場を持たずに、軽自動車の箱バンに塗料を積んで行商みたいなことをして、五、六軒の自動車会社と関わっとってね。修理会社へもまた関わらせてもらっとったんやけど、だんだんと修理で入ってる子たちが色も塗りだして、僕の仕事が減ってきたんですわ。それで、何度も出戻りさせてもろうた修理会社の社長には恩も義理もあったんやけど、三十九歳で工場の跡地を借りて独立し、この場所に『カーペイント・ヒトミ』を立ち上げたんですわ」

上林さんがエアブラシで車に塗装を始めたのは、二十五歳のとき。「これを描いたらおもろいやろな」と、自分が乗っていたトヨタのライトエースの両面に『宇宙戦艦ヤマト』と『科学忍者隊ガッチャマン』の必殺技「科学忍法・火の鳥」の姿を描いた。七〇年代後半といえば、バニングカーや七五年から公開された映画『トラック野郎』シリーズのヒットによって全国各地にデコトラが流行り始めた頃だが、上林さんはそうした流行には目もくれず、ただ自らのやりたいことを追求していったというわけだ。お話を伺った部屋には上林さんがこれまで乗り継いできた車のミニチュア模型が展示されてあり、よく見ると塗装などもひとつひとつ精巧に再現していて、ものすごいこだわりっぷりだ。

自動車鈑金塗装店「カーペイント・ヒトミ」は板金塗装を中心に仕事を請け負っているが、北近畿地方でエアブラシを使った車のスプレーアートができたのはこの店だけだったため、当時から塗装の依頼も多く舞い込んでいたようだ。ところが、上林さんは自分が気に入らない絵は描かなかった。だから、その頃の写真を見ると中山美穂や工藤静香、そして矢沢永吉など、上林さんの趣味が大いに反映された装飾の絵ばかり描いているのが、何とも面白い。

作品制作を始めた頃は、お孫さんがお風呂で遊ぶことができるように発泡スチロールなどを加工して「原始人のアジト」や「海賊船」などの玩具をつくっていたそうだ。そんな上林さんが流木制作を始めたきっかけは、仕事の息抜きで海を訪れたとき、流れ着いた一本の木が蛇に見えたこと。それからというもの、動物などを中心に手のひらサイズの作品を制作していたが、次第に流木の風合いを活かすため塗装を止め、どんどん大きな作品を制作するようになった。

特に、「十二支をつくったときは、実物に似せるのに苦労してストレスが溜まったんです」と近年制作している大作では、自由に表現するために宇宙人や妖精などの見たこともないような生物ばかりをつくっている。

「未知の生物やったら、どこに手や足をつけようが自由でしょ。でっかい作品は、僕の気持ちでつくっとる感じかな。ちっこい作品では僕の思っとるもんが表せれん。だから、どんどん作品が大きうなってくる。本当は、海岸に打ち上がっとる大きな流木も使いたいんやけど、人力じゃどうにもならんのよ。流木って、ゴールがないんですわ。海から流れてくるものに対して、僕は宿題を与えられてるんです。もともと持ってる流木の形からイメージしてつくってるから、あまり手を加えたら駄目なんですわ」

何より上林さんが大作をつくるようになったきっかけは、神戸市出身の元美術講師、浦岡雄介さんとの出会いも大きい。三年前、知人を介して浦岡さんが住み込みで開設・運営する市内の文化交流スペース「いさざ会館」へ遊びに行ったとき、すぐに二人は意気投合した。上林さんは「いさざ会館」に多くの作品を寄贈し、浦岡さんも上林さんの作品を積極的に社会へ紹介するようになった。進むべき道に明かりを灯してくれる浦岡さんのような支援者が現れたことで、上林さんも本気になって流木と対峙するようになったというわけだ。

昨年からは、大作を繋ぎ合わせるときの繋ぎ目を隠すため、それまで処分していた木のおがくずを使って装飾を施すようになった。最新作の『キャッツ』を模した作品などは、おがくずを使って、猫の模様を見事に表現している。ただ、作品が大型化するにつれて、お客さん専用の駐車場だった場所も大作が占拠するようになったため「お客さんには路駐してもろうとる」と笑う。

上林さんの人生を振り返ってみると、急に西陣の織元から自動車

浦岡雄介さんと上林さん

業界へ転職したり、自動車業界でも何度も板金会社を渡り歩いたり、そして近年では、突然に流木で作品をつくり始めたりと、良い意味でフットワークが軽い動き方をしていることがわかる。

「若いときから計画性はなくて、『思ったらまず動く、動いてから考える』という生き方をしてきとる」と話す。僕らのように、まず誰かに相談したりネットで検索したりして、じっくり石橋を叩いて渡るような生き方ではなく、自らの直感を頼りに素早く時代を駆け抜けていく上林さんのような生き方は、もしかすると僕らにいちばん必要とされる教えなのかも知れない。「いまの人生に後悔はない」と断言する上林さんは、こう言葉を付け足す。

「僕は六十歳を過ぎて流木をやり始めたけど、『もっと早く始めとったら良かった』とは思わんよ。きっと年齢とこれまでの経験がマッチできたんが、この時期やったんやわ。とにかく、どんどん動いていくことで周りからいろんな協力者が現れてくるのよ。僕が浦岡くんと出会ったように、自分の目指しとるところに対して、自然とその方向に導いていてくれる人が現れてくれるはずや」

ひとの話に耳を傾けることが、いつも重要とは限らない。大切なのは、何が正しいかを自分で見極めて判断できるようになることだ。僕は、上林さんのように「後悔がない」と言い切れる人生を送ることができるだろうか。何かを始めるのに遅すぎることはないということを、僕はいつも多くの先輩たちから教えていただいている。肯定と否定の連続かも知れないけれど、これからも軌道修正を繰り返しながら、僕の人生も、そしてあなたの人生も続いていくのだ。

海から流木が流れ着くように、僕らの人生にもときどき大きな「宿題」が降り掛かってくるだろう。そこを乗り越えていくためにも、自分で考えて行動していく習慣を身につけていかなければならない。

紫煙の匂いが残る部屋の中で

半田和夫

Kazuo Handa 一九五二（昭和二七）年生まれ

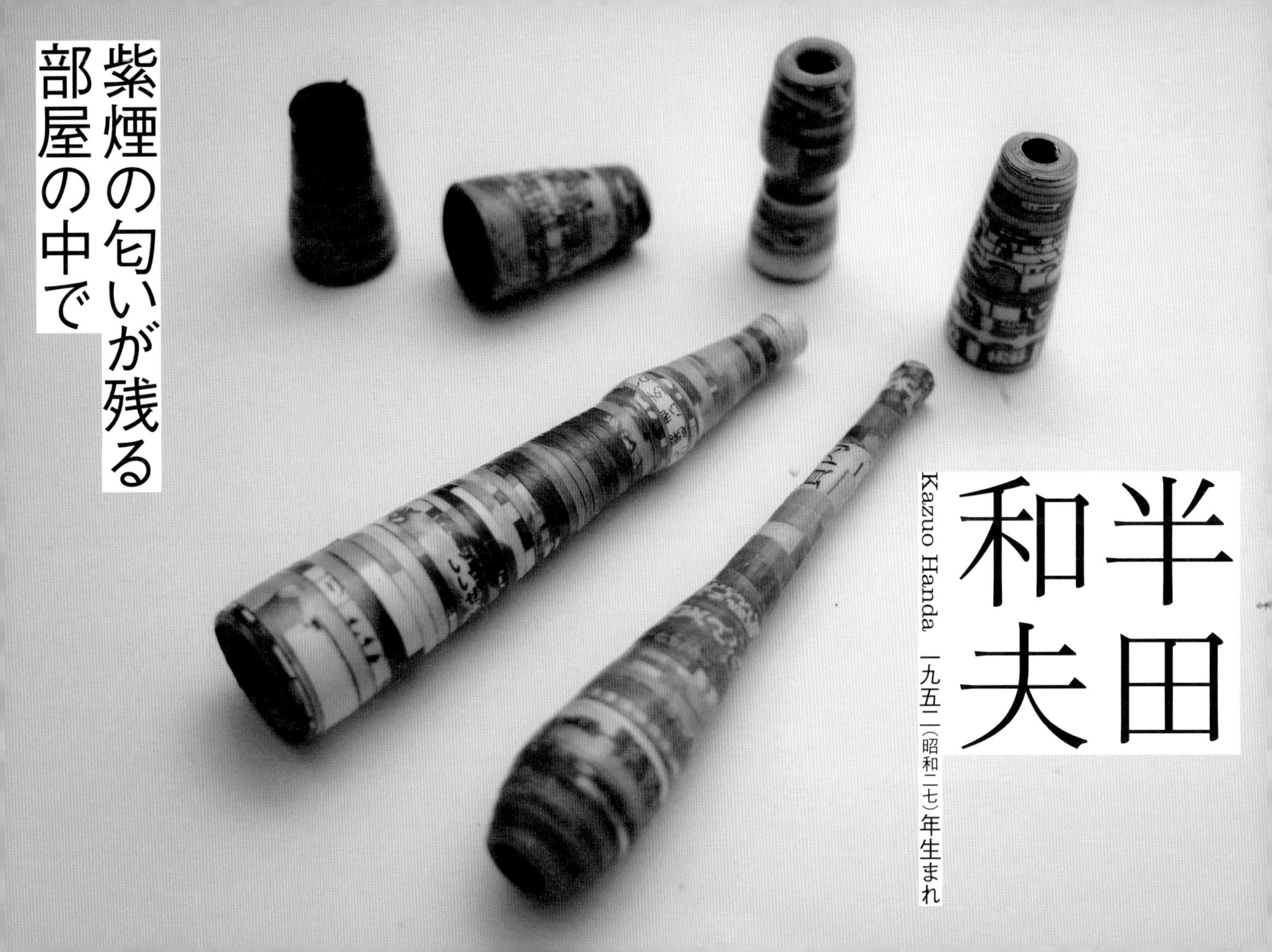

半田さんの部屋

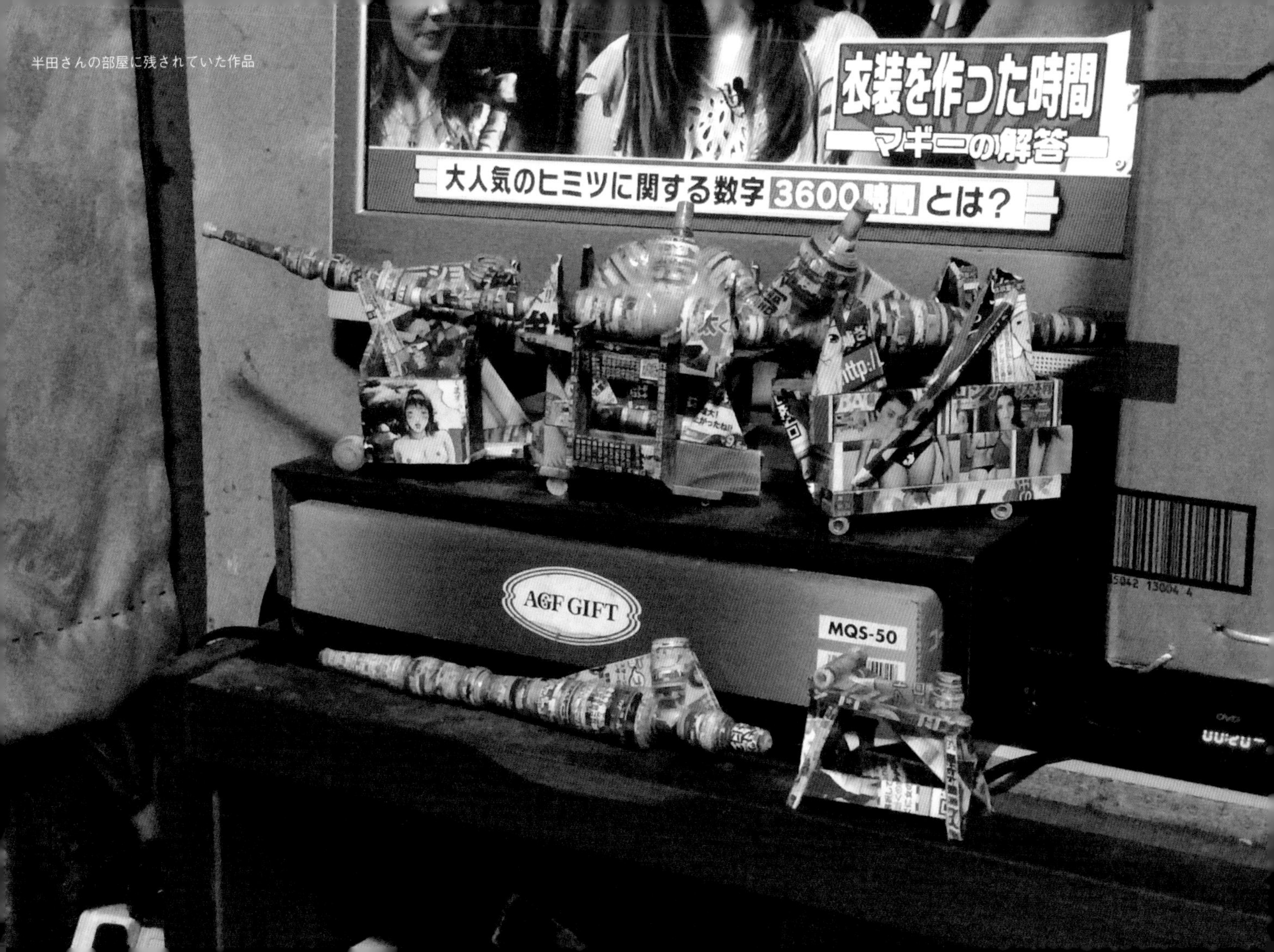

半田さんの部屋に残されていた作品

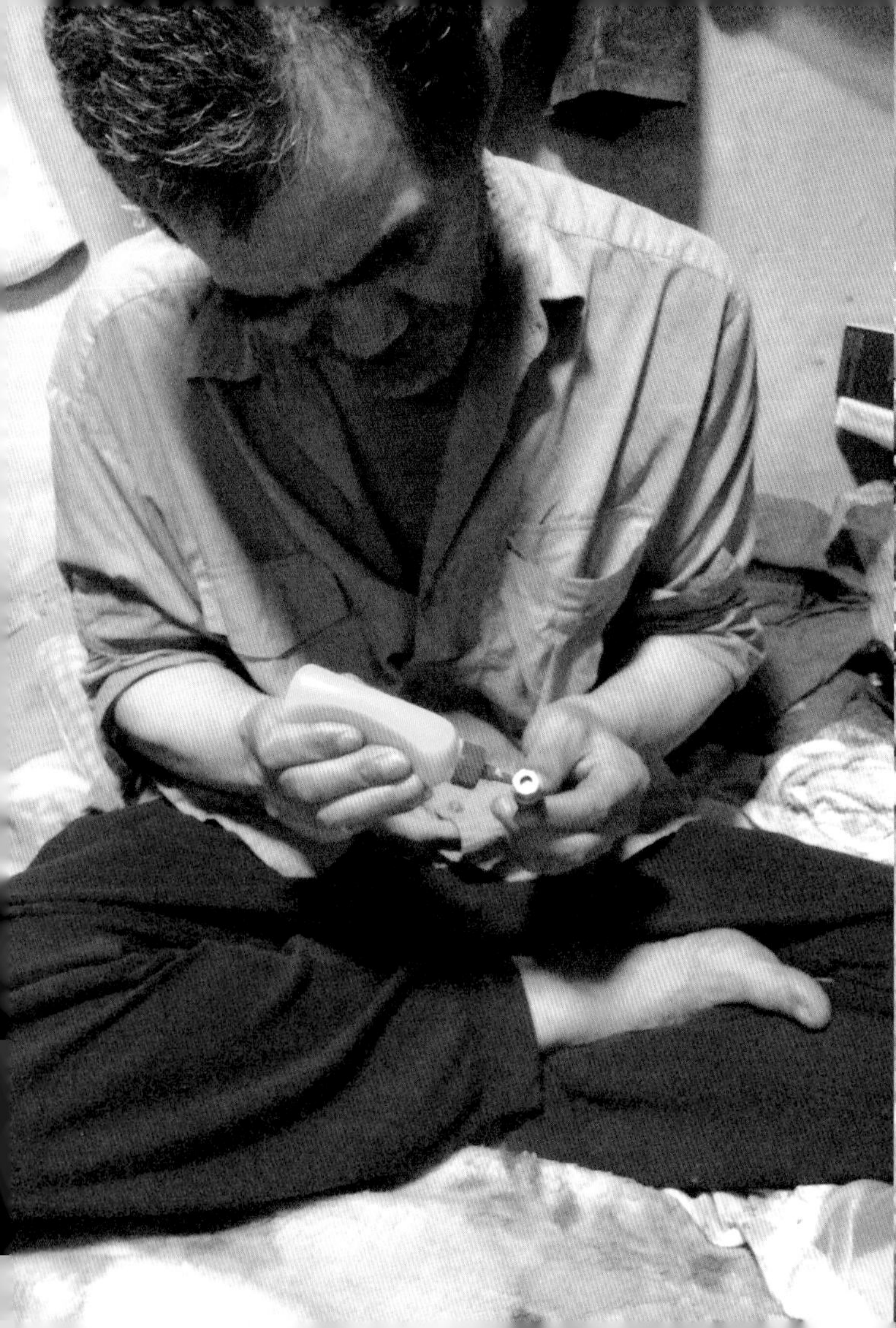

よく見ると成人向け雑誌を
素材にしていることがわかる

DVD PLAYER HDMI PORT
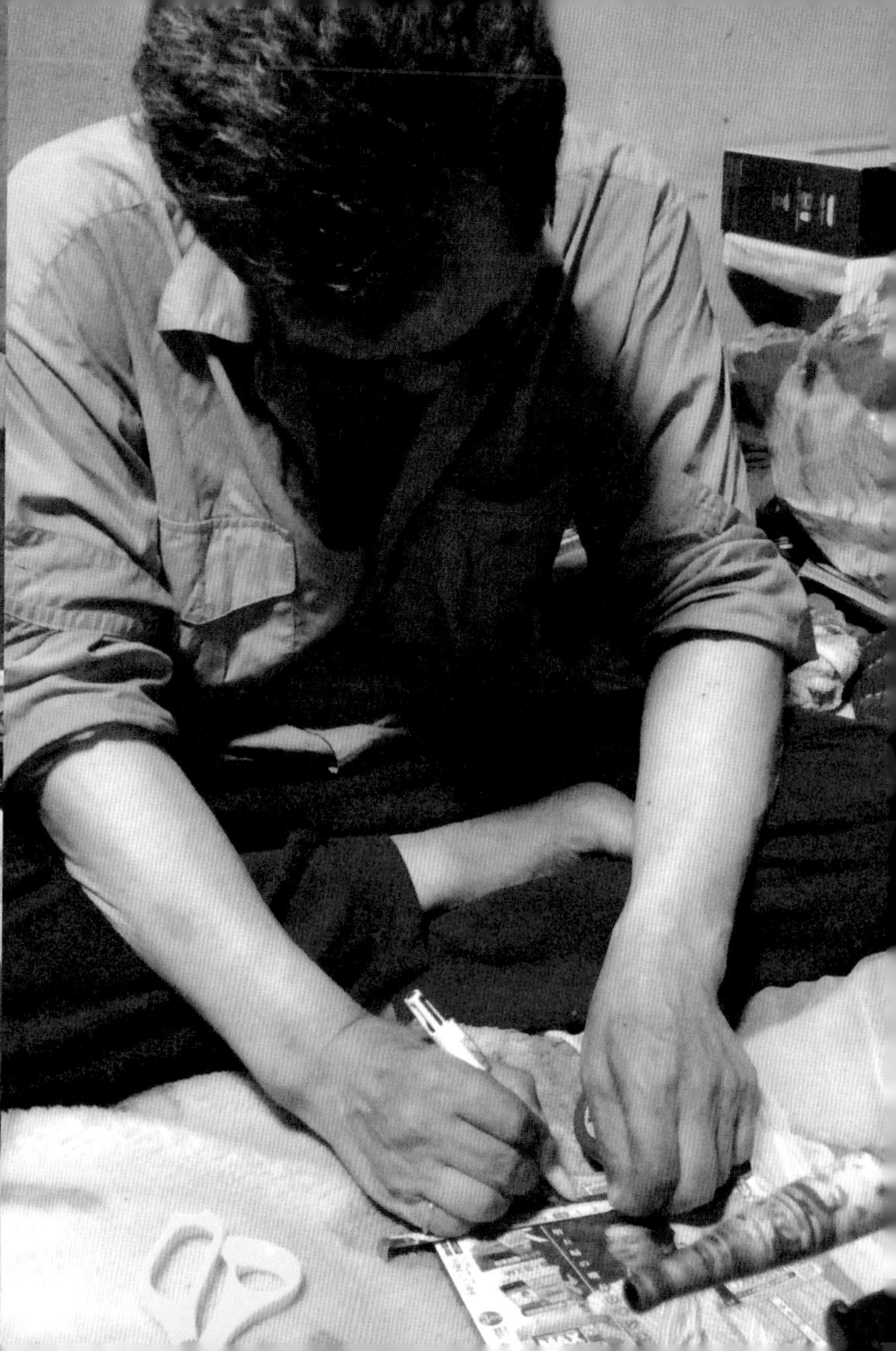

半田さんがつくった喫煙具たち

目の前には瀬戸内海の穏やかな海が広がり、背後には山腹を覆うように家々が軒を連ねる広島県尾道市。観光名所のひとつ、千光寺から迷路のように続く坂道を下ったところに一軒の共同アパートがある。鍵のかかっていない玄関の扉を開け、「こんにちは」と呼びかけるが反応がない。玄関から見える部屋には、ダンボール板にマジックで「半田和夫」と書かれた小さな表札が貼り付けられていた。

「あのおっちゃんは、不思議な作品をつくっていたよ」

知人の小野沙耶花さんがそう教えてくれたのは、僕がここを訪れる数か月前のことだった。恐る恐る木製の扉を開けると、そこに半田さんの姿はなかった。カーテンが閉められた薄暗い室内。机の上には飲みかけのジュースやアイスクリームの容器などが散乱していて、さっきまでいたであろう家主の気配を感じた。「おっちゃんは釣りが趣味だった」という彼女の話を思い出し、僕は海岸沿いで釣りをしているおじさんたちに半田さんのことを聞いて回ったが、誰もが首を横に振るばかりで、すぐに自分の釣竿を見つめ直してしまう。仕方ないのでアパートに戻って玄関先に座り込んでいると、白髪のお婆さんが目の前を通りかかった。どうやらアパートの住人のようだ。面識はないけれど半田さんに会いに来た旨を伝えると、彼女の口から出て来たのは意外すぎる言葉だった。

「あの人は、三か月前に病気で亡くなったのよ」

なんでも、二本しかなかった歯が虫歯になり、自分で抜いたらそこからばい菌が入って癌になり、病院で息を引き取ってしまったそうだ。半田さんのことを語るそのお婆さんの顔を見ているうちに、いつの間にか僕は遠い記憶を手繰り寄せていた。

僕は二〇〇〇年から、知的な障害のある人たちの福祉施設に勤めてきた。特に入所施設で長く働いていたが、障害のある人たちはずっと施設で暮らしているわけではない。家庭とのつながりが深い人の中には、二週間に一度、週末になると家族のもとに帰る人もいるし、大抵の障害のある人たちは盆や正月などは家で過ごしていて、職場ではこれを「帰省」と呼んでいた。僕は当時、ひとりの障害のある男性を担当していて、盆や正月になると車で尾道まで送り届けていた。スムーズな意思疎通が困難な彼は、見慣れた尾道の風景が窓に広がってくると「おーい」と叫んで、コンコンと窓を何度もノックする。誰だって家に帰りたいし、やっぱり家族と過ごしたいのだ。向かいの駐車場に車を止めたら、手をつないで踏切を渡る。興奮して思わず飛び出しそうになる彼の手を、僕はギュッと握りしめた。指先から彼の喜びが伝わってくるようだった。

「おかえり、よっちゃん」

踏切の前のアパートで、いつも彼のお母さんはその言葉を準備して待っていた。そう、あのときの母親こそが、眼の前にいる白髪のお婆さんであり、僕がいつも送り届けていたその住居こそ、このアパートだったのだ。思いもよらない何年かぶりの遭逢《そうほう》。思い出話に花が咲いた。ひょっとすると、僕はここで半田さんとすれ違っていたかも知れないし、挨拶を交わしていたかも知れない。いまから思えば、半田さんが引き寄せてくれた気がしてならない。

生活の痕跡がそのまま残された半田さんの部屋で、山積みになったプラスチックの箱を見つけた。中に入っていたのが、成人向け雑誌を短冊状に切り、木工用ボンドで固めて自作した大量の喫煙具だった。僕の目的は、この作品と出合うことだった。小野さんの話によると、切り刻んだ成人向け雑誌をボンドで固め、鉛筆や割り箸に巻きつけて緩やかな曲線をつくり、ひとつひとつ丁寧に制作していたそうだ。刻んだ煙草の葉を火皿に詰め、実際に吸い込んでいたようで、収納された箱を開けると煙草の香ばしい香りが鼻をつく。よく見ると、掃除するための煙草盆まで自作してある。ものすごい徹底ぶりだ。半田さんは、もしかすると煙草だけではなく、成人向け雑誌に浮かび上がるエロティシズムまで吸い込んでいたのだろうか。何かに揺り動かされるように僕は必死で写真を撮り、後日、ご遺族の許可を得て作り手のいなくなった膨大な作品を持ち帰った。

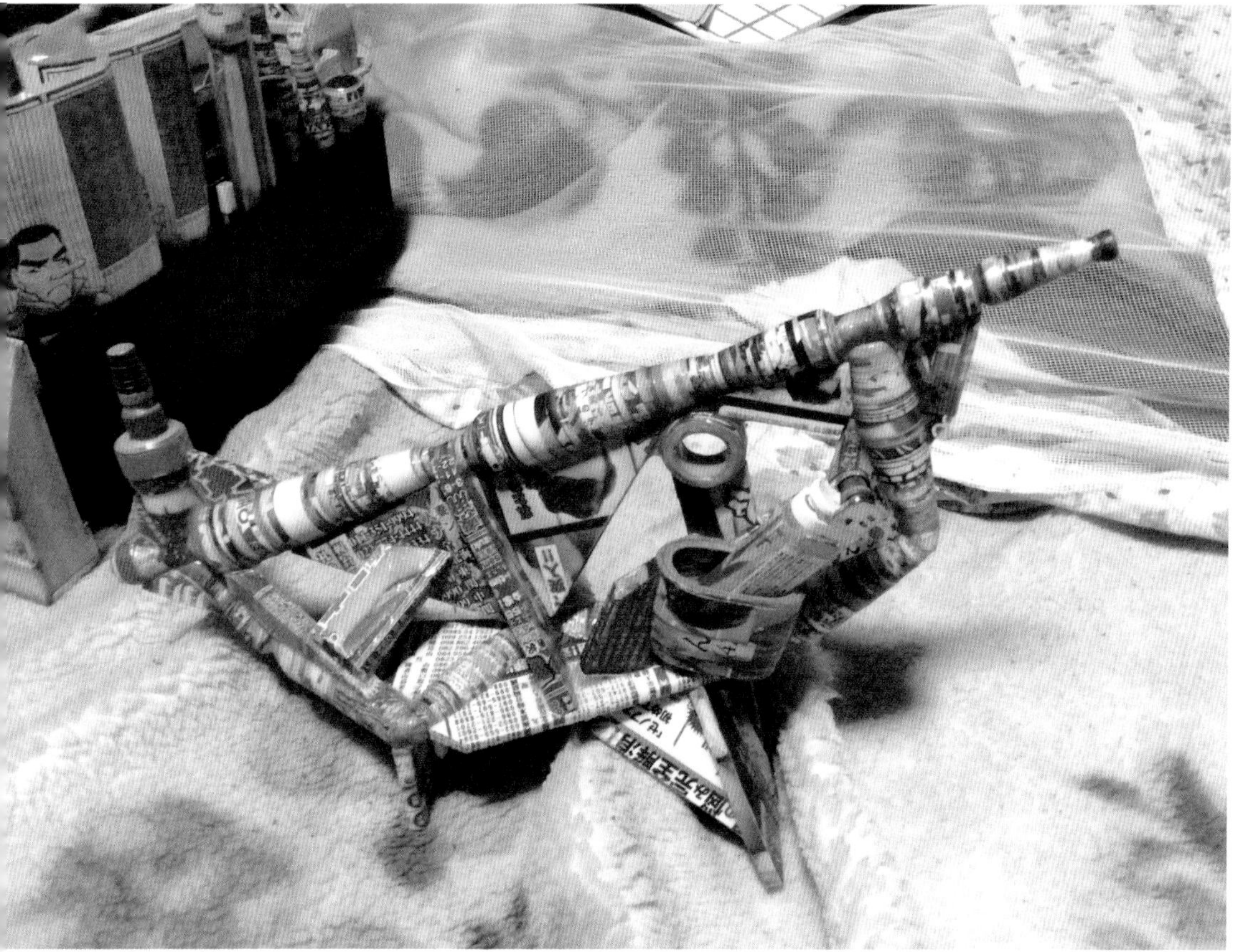

半田さんは、一九五二年にこの街で生まれた。家族の話によると造船業に従事し、海外にまで渡航することも何度かあったようだ。いつ頃から、そして何のためにこの喫煙具を自作していたのか、いまとなっては知るすべもない。ただ、これらの品々を眺めていると、出会ったこともない半田さんの情念が立ち現れてくるようだ。

そもそも、小野さんが半田さんと出会っていなかったら、僕はこの作品を目にすることさえできなかった。小野さんは、僕が企画したトークイベントの翌朝、尾道の海岸で釣りをしている半田さんと出会った。ヨレヨレの服にツッカケ姿で髭面の半田さんは、「そうめんでも食うか」と突然彼女を家に招き入れた。半田さんが一人暮らしと聞いて、彼女は身の危険を感じたものの、口に加えていたパイプが気になり、あとをついていった。あのときの彼女の勇気と行動力がなければ、これらは価値がないものとして破棄され、もう存在すらしていないだろう。半田さんの作品はその後、アール・ブリュットの世界的コレクター、ブリュノ・ドゥシャルムのコレクションに加わり、いまや欧米で大々的に紹介されるようになった。

半田さんの例にとどまらず、誰に見せることもなく、半世紀以上もの間たったひとりで『非現実の王国で』と題した一万五千ページを超える小説の原稿と、数百枚に及ぶ挿絵をつくり続けたヘンリー・ダーガーのように、仲介者の手によって奇跡的に僕らが目にすることができている「作品」は、ほんの一部にしか過ぎない。この瞬間にも膨大な作品はどこかで何者かの手によって生み出され、そしてその多くが誰かに知られることなく失われていく。そうした事物のすべてを保管することが困難である以上、僕らはまた次の出合いを待つしかない。そんな出合いはいつ訪れるかわからないし、もしかしたらもう僕の隣にあるのかも知れない。

（二〇一六［平成二八］年没）

空飛ぶロマン

沖井誠

Makoto Okii

一九五一（昭和二六）年生まれ

343-15

AI-17

見渡す限りの水平線上に、島々の陰影が描き出す景色が広がる瀬戸内海。広島在住だった僕にとっては慣れ親しんだはずの海も、対岸の愛媛県から眺めるとまた違った景色に見えてしまうから不思議だ。この愛媛県伊予市双海町は、「夕日の美しい街」として知られている。海岸沿いをドライブしていると、道路に沿って飛行機の模型や宇宙人のオブジェなどが密集した場所が目に留まった。潮風を受けて、飛行機のプロペラが一斉に音を立てて回りだしている。慌てて車を停車させ、近くの家のインターホンを押すと、現れたのは年配の男性だった。彼こそが、こうした作品群の作者で、この家に住む沖井誠《おきいまこと》さんだ。

今年七十歳になる沖井さんは、五人きょうだいの末っ子としてこの街で生まれた。

「いまはほとんどが休耕地だけど、この辺りは段々畑で、うちもみかん農家だったね。学校から帰ると農業を手伝ってたんだけど、農

沖井さんを模した人形

業だけじゃ食べれないもんだから薪作りの仕事も手伝ってたんです」
沖井さんは中学を卒業後、「私立は授業料が高くて通わせることができないから」と両親から言われ、市内の農業高校へ進学した。卒業したあとはケーキの材料を卸す会社に就職し、すぐに東京へ転勤となったものの、常に管理される寮の暮らしが肌に合わず、二年ほどで退職してしまった。その後は、トラックで新聞を販売店へ配送する仕事や家具輸送の仕事に就いたが、この会社も半年ほどで辞めてしまった。どうやら若さゆえに、沖井さんは職場での人間関係のトラブルに我慢ができなかったようだ。

「渋谷へ遊びに行ったとき、たまたま昔の会社の同僚と出会ったんです。話を聞いたらガス屋に就職してるらしくって、そこで『車を持ち込んで働ける仕事があるからやってみないか』と誘いを受けたんです」

同僚の勧めで二トン車を購入し、ガス会社へ入社した。酸素ボンベやアセチレンガスなどを輸送するドライバーとして二十四歳まで働いたが、愛媛県にUターンし、今度は日用雑貨の販売会社でトラックに乗って営業と配達を兼ねた仕事を二十七歳までこなした。私生活では、社内で出会った女性と交際し、わずか三か月で結婚。その後も、建材屋などさまざまな職種を転々としたようだ。

二十七歳のとき、以前ガス会社に誘ってくれた同僚から再び声をかけられて東京の会社に再就職することになり、それが沖井さんにとって人生を捧げる仕事になった。五十六歳で早期退職するまで勤め上げ、愛媛へ帰郷していまに至る。

「こっちへ戻ってきたときに、妻とは離婚しました。帰って来た理由は、まず都会での暮らしが嫌になったっていうこと。だんだん仕事の厳しさや人間関係についていけなくなったこともあってね。それと、四十歳になる頃に購入したマンションのローンを完済して身軽になったことも大きかったですね。あとは、実家に認知症の母親がひとりで住んでたんですよ。僕が戻って来てから六年ほど経って、他界しちゃいましたけどね」

一時期は兄の仕事を手伝いながら、土木建設業の手伝い要員として繁忙期に各地の現場を回ったこともあるそうだ。そんな沖井さんは、二〇一六年三月から作品づくりを始めた。

「ここにいると、とにかく暇なんですよ。だから、最初は毎日、浜から拾ってきた石を垣根の下に敷いていたんです。要は暇つぶしに始めたことなんです」

次に着手したのは、殺風景だった部屋を改造することだった。裏山から竹を採って来ては、外した窓枠に竹を組み替えるなどして、現在も大半の時間を過ごしている自室を半年掛けて改修。そして同年十一月頃から、小さい頃から憧れていた戦闘機やロケット、宇宙人の模型などをつくり始めた。

「部屋づくりが途中で嫌になって、飽きてきたんです。同じことばっかりやってたからね。浜に行くと発泡スチロールがたくさん流れ着いているでしょ。しばらく眺めていたら、発泡スチロールが人の顔に見えるなと思って、遊びがてらノコで削ってみたら何だか形ができてきたから、試しに宇宙人をつくってみたんです。この辺りは、田舎だから何もないじゃないですか。だから目印になるようなもんがあってもいいかなと思ってね」

これらは、すべて海岸に流れ着いた廃材なのだ。以来、沖井さんは目の前の海岸に漂着したブイや発泡スチロールなどを使って、雑

誌の写真を見ながら戦闘機をつくり始めた。よく見ると宇宙人の「手」の部分は、エアコン用屋外排水ホースが使われている。小学校の頃から『紫電改のタカ』や『0戦太郎』などの漫画を読んでいた沖井さんにとって、戦闘機は憧れの存在なのだ。「F4Uコルセア」や「カーチスP-40Eウォーホーク」など、すべて実際の戦闘機をモデルにしている。

「飛行機の素材は部屋の改造で余った竹を割って板状にして、表面に解体したビールの空き缶を貼り付けているんです。最初の頃は接着剤で竹の上に貼ってたんですけど、いまはビスで留めているんですよ」

翼は発泡スチロールと木を合わせ、プロペラはビールの空き缶を加工し、風が吹くとプロペラや機体そのものが回転する仕掛けになっている。家の裏の倉庫で、沖井さんは一か月以上掛けて毎日少しずつ制作していく。忠実につくるのではなく、アニメのような絵柄の塗装にしているのは、戦闘機と同じくらいに好きだったアメコミの影響のようだ。「アメリカ人はユーモアがあるからね」と笑う。

竹を使って改装した自室

「あるとき、部屋の窓から海を眺めていて、ここに飛行機が飛んでりゃいいなと思ったんです。ここで自分のつくったものを眺めていると、戦闘機に乗ったような気分になるからね」

よく見ると、戦闘機の運転席には百円ショップで購入したという宇宙人の玩具があったり、男性の人形が座っていたりする。男性の人形は髭を生やしているから、どうやら沖井さん自身のようだ。

お話を伺っている途中でも、波音とともにビュンビュンと海からの風が吹き抜けていく。風の強い地域のため、竹が折れて飛んで行ったこともあるそうだ。現在は改良を重ね、強風や台風に備えて、地面に固定した竹やパイプから機体を取り外すことができるよう工夫している。

「近所の人は、僕がこんなことやってるのは知ってるんだけど、あんまり関心はなさそうだね。ちょっと前にお巡りさんがやってきて、『撤去しろ』とか言われるかと思ったら、『ちょっと見せてください、これは零戦ですか』と嬉しそうに話をして帰って行かれましたよ。もう設置するスペースがどんどん無くなっちゃってるけど、将来的には自分が乗れるようなものをつくれたらいいね。絶対、置くところがないいんだけど。それで、やっぱりこの部屋から眺めてるのが良くってね」

話を終えて波音がするほうを振り返ると、窓から海が見えた。まるで窓枠は額縁のようでもあり、その中で雄大に風を受けて勢い良く戦闘機が回っている。この景色を独り占めできるなんて、本当にうらやましい。しばらく眺めていると、僕も一緒に戦闘機に乗ったような気分になってきた。

沖井さんは、こうして何年もこの景色を見続けて、空想の世界に浸ってきたのだ。

一九四九年生まれ
ガタロ
稲田泰樹

一九四八年生まれ
大谷和夫
玉城秀一

一九四六年生まれ
本田照男
国谷みよ子

一九四五年生まれ
田口Boss

一九四四年生まれ
土屋修

一九四三年生まれ
国谷和成

一九四一年生まれ
田中利夫

一九四〇年生まれ
中條狭槌

一九四〇

一九四〇年代生まれの超老

Born in The '40s

一九四〇年代の主なできごと

一九四九年　北大西洋条約機構（NATO）が発足

一九四八年　東京裁判が結審し、A級戦犯二十八名のうち七名に死刑が言い渡される

一九四七年　日本国憲法施行

一九四六年　昭和天皇、人間宣言
二十歳以上の男女が投票権を得た初の総選挙が行われる
日本国憲法公布

一九四五年　日本、ポツダム宣言を受諾し降伏
広島、長崎に原子爆弾が投下される

一九四四年　日本、レイテ島でアメリカ軍に敗退

一九四三年　日本、ガダルカナル島より撤退開始

一九四二年　ミッドウェー海戦で日本海軍が大損害を喫す

一九四一年　日本、真珠湾を攻撃。太平洋戦争勃発

一九四〇年　日独伊三国軍事同盟成立

労働の生産点から生まれる絵

ガタロ

Gataro　一九四九（昭和二四）年生まれ

《棒ズリ》
2002年

《S氏を描く》 2006年

《S氏》 2003年

AM3時ごろ
地震が
おきる
2018.9.6

2018.9.5

《雑巾の譜》 シリーズより

手モ
ヤスメルナ
掃除スル
ヨウニ描ケ
2019.
11.25

雑巾の
カナシミ
2019.
11.6

雑巾様
ふいてふいて
そそられて
そそられて
しぼられて
しぼられて
翼をはやして
とんで行け
青い海へ
青い空へ
真白な
雲となって
白い雲と
なって
そそいでくれ
そそいでくれ
2019
2/18
かずお

雑巾を描くのは
いいしれぬ
から
始まる
2018
12.7
かずお

只々
生きる
生きて
帰って
絵を
描こう
四国五郎
日記より
平和のために
描こう
2019
11.5
かずお

生キテル、動イテル雑巾
イモ虫
イモ虫
ニミエル
雑巾
2019.1.28
かずお

「掃除の仕事は、素晴らしく良かった。まさに自分の居場所じゃった」

そう振り返るのは、広島市中心部にある市営基町アパート一階のショッピングセンターで、たったひとりの清掃員として二〇二〇年九月末まで働き続けたガタロさんだ。自作の手押し車「大五郎」にたくさんの掃除道具を詰め込み、ひとりで通路を掃き、ゴミの仕分けをして、素手でトイレを磨く。掃除が一段落すると六畳ほどの掃除道具置き場で、自然光が降り注ぐ中、酒を片手に絵を描いた。画材となるのはその多くが捨てられていたもので、ちびた鉛筆やクレヨン、絵の具などを使った。題材にしたのは友人のホームレスや、身近にある掃除道具など社会から注目されることのない人やものばかりだ。

「掃除屋ってのは、最底辺の仕事ですよ。僕の作品ってのは、すべて『職場生産点』から生まれたもんなんよ」

働くガタロさん

僕がガタロさんのことを知ったのは、二〇一三年春のこと。何気なくテレビを眺めていると、画面の中にガタロさんの姿はあった。そのとき放送されていたのが、NHKハートネットTV『捨てられしものを描き続けて～清掃員画家・ガタロの三十年～』で、同番組は繰り返し放送されるなど、大きな反響を呼んだ。僕も番組に感銘を受けたひとりで、そのひと月後には、ガタロさんに会いに広島市へ向かっていた。事前に待ち合わせ場所を確認するため携帯電話の番号を伺ったところ、「ダンボールでつくった電話ならあるんじゃけど、つながらんよなぁ」と電話口で笑っていた。なんてチャーミングな人なんだろうというのが、僕の第一印象だ。

一九四九年生まれで今年七十一歳になるガタロさんは、物心ついた頃から絵を描き始め、中学時代は担任教師の勧めで洋画部へ所属した。高校時代は自ら美術部をつくり、卒業後は美術に関する仕事に携わりたいとの思いから、大阪の印刷会社へ就職した。しかし、工場での製版の仕事は想像以上にきつく、気を紛らわすため、仕事の合間に再び絵を描き始めた。その後は、郵便配達員やキャバレーのボーイ、日雇いの解体工事など、いくつもの職を転々としたあと、二十代後半で広島に帰郷。友人の紹介を受けて、半ば自暴自棄な状態でショッピングセンターの清掃員として働き始めたのは、三十三歳のときのことだ。それまで老夫婦がやっていた仕事をひとりで引き継ぎ、「日曜日と正月以外は一日も休まない」というルールを自らに課し、毎朝四時から九時過ぎまで、三十五年以上にわたって清掃の仕事を続けた。

働き始めた頃は、仕事の大変さや体のしんどさを理由に何度も辞めることを考えていた。しかし、薄暗い掃除道具置き場で目の前にあった掃除道具を眺めているうちに、ガタロさんの心は少しずつ変化していく。懸命に働いてすり減ったモップや雑巾など、愚直に汚れを落とし黙々と働く掃除道具たちを愛おしく感じるようになり、あるときから絵の題材として描くようになった。

ガタロさんが勤めていた基町アパートの周辺には、終戦直後から一九七〇年代まで「原爆スラム」と呼ばれるバラック街が広がっていた。十分ほど歩いたところには、原爆ドームがある。ガタロさんの実家は原爆ドームからほど近い場所にあり、塗装職人だった父親は仕事中に爆心地から九百メートルの場所で被爆した。なんとか一命はとりとめたものの、死ぬまで被爆体験を語ることはなく「地球の終わりじゃ思うた」とポツリと告げるだけだったという。

ガタロさんが体を壊して広島に戻ってきたとき、復興が進んで栄える広島の街にポツンと建つ原爆ドームの姿を目にした。「火傷した肌をむき出しにしとるような衝撃を受けた」と話す。それから一年間、原爆ドームに通い詰めてスケッチを重ねた。根底にあるのは、戦争に対する強い怒りと父親が残した言葉の意味を探ることだった。

これまで反戦の絵を数多く描いてきたが、特にその想いを伝える大作が、一九八五年に制作した絵画《豚児《とんじ》の村》だ。父の死後、ヒロシマの惨状を忘れて繁栄していく街の姿に憤りを感じ、大きなベニヤ板三枚を使用し、人間の欲望の象徴としての豚の姿、原爆ドームや平和大橋の風景、そしてまだ見たこともなかった原子力発電所と、そこから流れる汚染水を描いた。これを描いた翌年にチェルノブイリ原子力発電所事故が発生した。画中で汚染水が流れ出る惨状は、まるで二〇一一年の福島第一原子力発電所事故さえ予見していたかのようにも思えてしまう。一見すると、原爆ドームと掃除道具には関連性がないように思えるが、ガタロさんは「どっちも人間の愚かさを体現した社会の恥部だと思うとるんです」と語る。また、「ヒロシマの光景を自身の身体に括《くく》り付けるため」に、原爆ドームを男根に見立てた《饗宴の森》という連作も多数制作している。

転機が訪れたのは、六十三歳のとき。テレビ番組に取り上げられたことで、家族関係に悩んでいる人や障害のある人など生きづらさを抱えている人たちが全国各地から連日ガタロさんのもとを訪れるようになった。メディアへの露出により、ひたむきに掃除をして絵を描き続ける姿がまるで「聖人」のように認知されているガタロさんだが、「わしゃぁ、そんな立派な人間じゃのうて、一介の掃除夫なんです」と言う。ステレオタイプ化された自身のイメージと上手く折り合えないガタロさんが心を寄せたのが、日頃使ってきた雑巾だった。

　使い古され、水分を絞り取られた雑巾の姿に、社会構造の中で搾取されていく掃除夫としての自身の姿を重ね合わせて、二〇一八年四月から毎日雑巾の絵を描き続け、その数は四七十枚を超えた。僕が二〇二〇年一月にニューヨークのアウトサイダー・アートフェアに挑戦した際には、三二十枚もの雑巾の絵を無償で寄贈してくれた。これまで絵を売ることは一切しなかったガタロさんだが、二〇一六年に僕が自身のアートスペースを立ち上げて以来、何度も僕のためにガタロさんは「金銭の足しになるなら」と絵を提供してくれている。僕はガタロさんに何度も助けてもらっているけれど、いったいどんな恩返しができているのだろうか。東京やニューヨークに絵を展示したところで、きっとそれはガタロさんが望んでいることではないのだろう。

「有り難いんじゃけど、今後は生産的なことには一切関わらず静かに生きていきたい。何らかの活動なり行動を起こせば、そんだけゴミが増えるからね」

　ガタロさんは、いつも自分を律する言葉を備えている。決して奢らず、天狗になることもない。そもそも「ガタロ」とは河童やくず

《川底の唄》とガタロさん

拾いを意味する言葉で、ある種、差別的な表現の言葉だが、「自由になれる気がする」とガタロさんは好んで使っている。あらゆる権力や地位や名誉から逃れるために、ガタロさんは絵を描き続けているのかも知れない。近作《川底の唄》は、ガタロさんのもとに集まったさまざまな境遇の人たちが、裸電球の下で闇鍋パーティをしている様子を描いた絵画で、実話がベースになっている。こんな風にガタロさんは、川底からいつも世間を見上げている。「自分が底辺の人間である」と声高に叫ぶことのできる人間を、僕は他に知らない。だから、ガタロさんの絵を見るたびに、背筋を伸ばさずにいられないのだ。

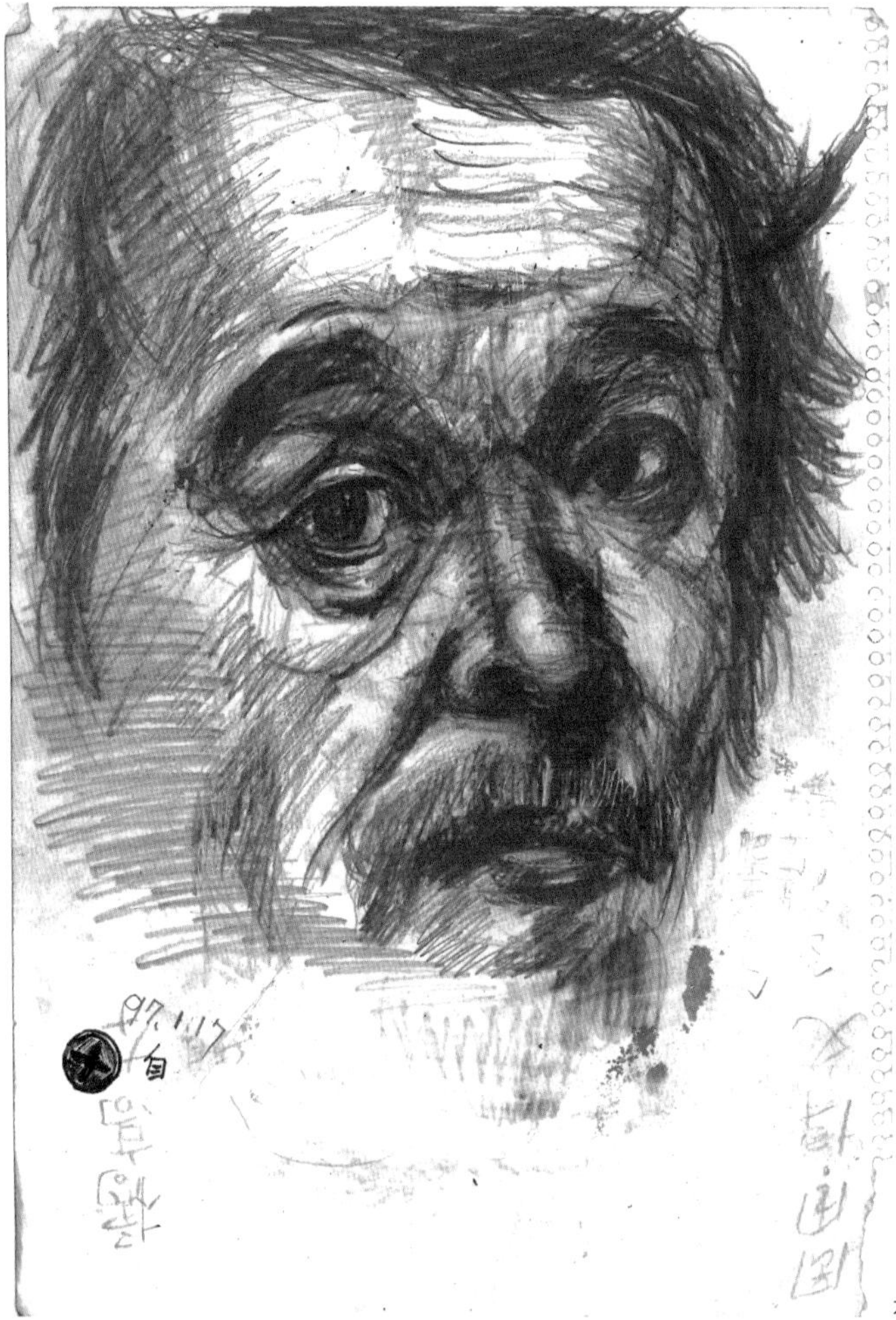

ガタロさん自画像

危機を描く俯瞰図

稲田泰樹

Yasuki Inada 一九四九(昭和二四)年生まれ

《進撃のタラバ》
2016年
パネルにインク、水彩
72.7×91㎝

《クライシス - Kより》
2018年　パネルにインク、アクリル　112×162cm

《クライシス》
2017年　パネルにインク、水彩　97×145.5cm

《ひょっこりネコ》
2018年　パネルにインク、水彩　80.3×116.7cm

《クライシス - Uより》
2019年　パネルにインク、アクリル　97×145.5cm

《クライシス》
2020年
パネルにインク、
アクリル
72.7×91cm

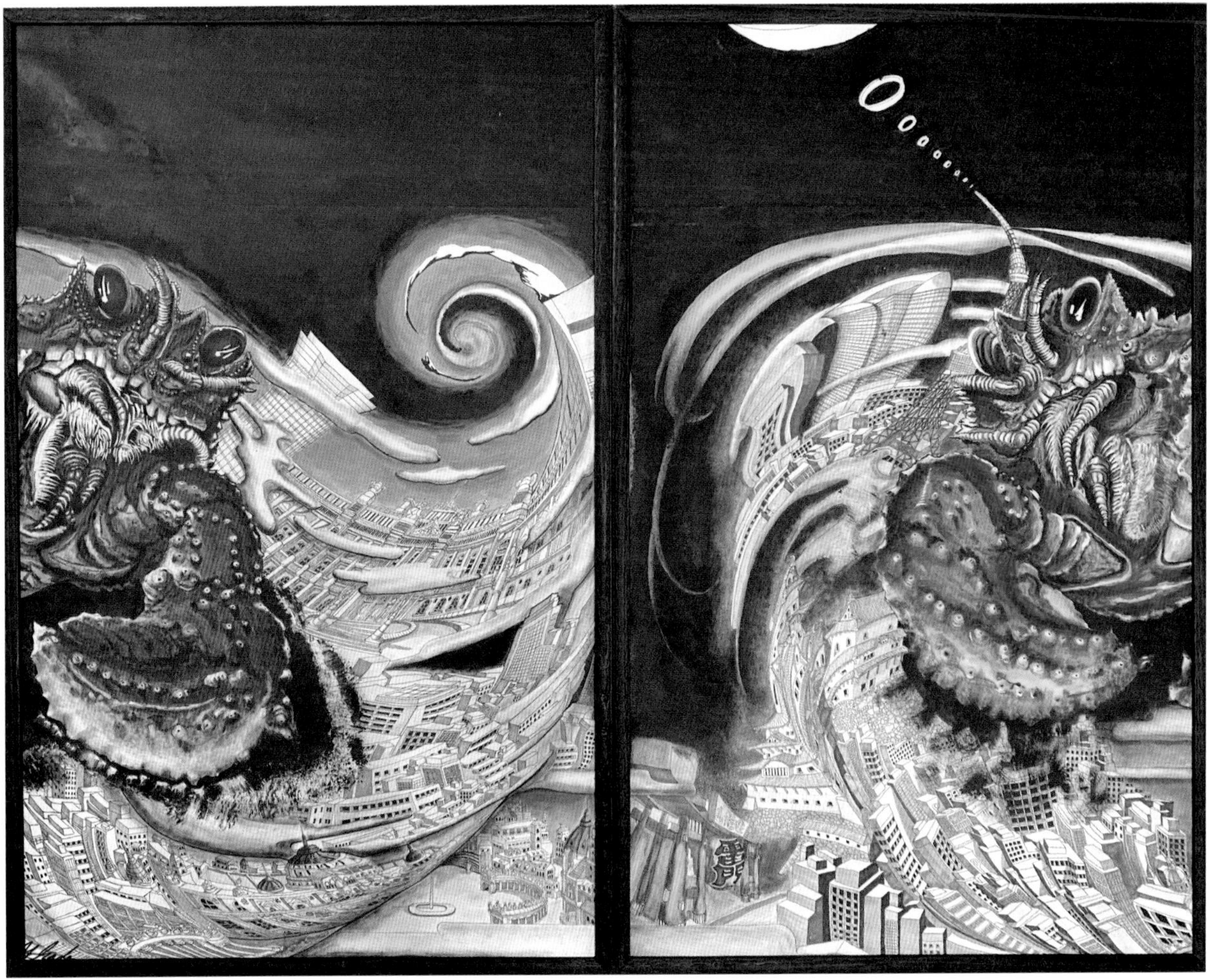

《風神雷神》
2020年
パネルにインク、
アクリル
606×145.4cm

北に世界文化遺産の富士山を仰ぎ、南には駿河湾が広がる静岡県富士市。僕はJR富士駅に初めて降り立った。富士山を間近で仰ぎ見ることを楽しみにしていたが、見上げると厚い雲に覆われている。残念ながら、夏場はほとんど顔を見せてくれないようだ。富士駅から車で二十分ほど走った高台に、その家はあった。他界した母親が暮らしていた一軒家を利用したというアトリエへお邪魔すると、畳

《クライシス》 2020年 パネルにインク、アクリル、漆 45.5×53cm

の上に立てかけられていたのが、巨大生物が大都市を襲う様子を描いた「クライシスシリーズ」と名付けられた絵画群だ。

「画家・山口晃さんの絵をテレビで観て、自分でも俯瞰図のような絵を描きたいなと思うようになりました。長年仕事で製造設備の立体図面を数多く描いてきたので、もともと鳥瞰図のような絵が好きだったんです」

そう語るのは、この絵の作者である稲田泰樹《いなだやすき》さんだ。稲田さんは、一九四九年に父親の実家がある三重県伊賀市で二人きょうだいの長男として生まれた。稲田さんが生まれた頃は、戦後の復興によるインフレの加速で貧しい暮らしを強いられていたため、一家は三重にある父親の実家へ居住し、そこから父親は毎朝大阪まで働きに出ていたようだ。稲田さんが一歳になった頃には、ようやく家族で大阪へ転居することができた。

「おとなしい子どもでしたけど、小さい頃から手先は器用で、プラモデルをつくることが好きでした。小学校四年生のときに一年だけ絵を習いに行ったことはあるんですけど、授業以外では絵なんて描いたことがありませんでした」

高校卒業後は、一浪の末に九州工業大学へ進学。営業職として働いていた父親から「営業よりも技術職のほうが良い」と勧められたこともあり、卒業後の一九七二年に大手電機メーカーへ就職。エアコンの製造部技術担当として富士工場へ配属となった。「高度経済成長の真っ只中で、男の子は技術系に行って働くというのが世の風潮でした」と当時を振り返る。生産技術などを研究する中で四十代半ばとなり、社内でもキャリアを築いてきた稲田さんに転機が訪れたのは、会社の海外進出のために海外赴任を命じられたときのことだ。

「一九九五年からの五年間は、タイの首都バンコクへ駐在したんです。駐在する前に上司から、バンコクへ赴任する人には『夜の街ばかり行って、女性に狂って現地で彼女と子どもをつくって騒ぎになって帰ってくる人』『仕事にのめり込んでノイローゼになって自殺する人』『仕事も遊びも全部ほどほどにして無事に戻ってくる人』の三つのタイプがいることを教えられました」

そう語る稲田さんは、バンコクへ駐在してすぐに自分へのブレーキとして、部屋に籠もって蘭の花などを買ってきてはスケッチを描き出した。その後は、二〇〇二年から三、四年ほどは中国の広州市近郊へ出張に出かけるなど退職まで海外赴任が続き、六十一歳で退職した。

退職して数年が経った二〇一六年頃、絵を描いていた妻の知人から駐在員時代に描いていたスケッチを褒められたことで、本格的に絵を描くようになったというわけだ。

「初めての作品は、巨大な蟹を描いたんです。最初は背景に砂を描こうと思ったけど、それだと面白くないなと思っていたとき、山口晃さんの絵が頭に閃いて、背景に俯瞰図を描くようになりました」

すでに一作目から、現在の「クライシスシリーズ」のもととなる絵を独学で描いていたことに驚かされてしまう。二作目の《進撃のタラバ》（P112）では、巨大な蟹の絵の背景に稲田さんが暮らす富士市の街の様子を重ね合わせた。ビルなどを描くのには極細のマーキングペンを使い、中央の蟹は水彩絵の具で色を塗った。完成までに一か月ほどを要したそうだ。よく見ると、稲田さんが働いていた会社まで描いてあった。他の作品では、稲田さん宅の背後にそびえる富士山が噴火した様子を描いたものまである。平穏な暮らしの中で、自分の街が巨大生物に襲撃されたり富士山が噴火したりする光景を描いているさまは、どこか批評的にも感じてしまう。

「キングコングやゴジラは映画で観ることができるから、面白くないでしょ。だからと言って、可愛いウサギや鳥を描いてもしっくりこない。一方で、台風や水害、地震などが頻発する恐ろしい社会になっているから、そうした世の中の不安な象徴が街を襲っているという、メッセージ性のある絵を描いてみたいと思ったんです」

ライオンや虎などの獰猛な動物ではなく、身近にいる蜘蛛や海老といった生物が巨大化して描かれているのが、何とも面白い。特に海老や蟹などの甲殻類を好んでモチーフとして取り上げているが、単に赤色が好きなだけではない。稲田さんによれば、ロブスターやタラバ蟹を買ってきて一旦冷凍し、描くときは解凍してじっくりスケッチしているのだという。絵が完成したらきちんと食べて供養しているというから、稲田さんはまさに「創造主」というわけだ。二〇一八年には《クライシス－Kより》（P113）が第一〇三回二科展で特選を受賞するなど、近年はますます注目が集まっている。

「この《クライシス－Kより》を描いた二〇一八年は、北朝鮮による弾道ミサイルが何発も日本に向けて飛ばされていた年なんです。『東京にもミサイルが飛んでくるぞ、怖いな』という気持ちを絵にしたくて、金正恩さんの名前や似顔絵をロブスターの中に描いているんですよ」

二〇一九年からは、街が襲われている表現をより追求するため、まるでカーブミラーに映った景色のように街全体が激しく歪んだ絵を描き始めた。これまで二十作品ほどを描いてきたが、二作目以降は主に東京の街がテーマになっている。何より、地面に根を張るように建つ真っ赤な東京タワーの造形美に強く惹かれるのだそうだ。背景の制作にあたっては、まず製図ソフトなどで下絵を描き、それをプロジェクターで画面に投影して写し取っていくのだという。

「女房から『売れないし汚いし飾るところもないから、気持ちの悪い絵ばかり描くな』と言われたので」と「クライシスシリーズ」に家で飼っている二匹の猫を登場させたこともあった。また、空き時間には水彩やペンを使って風景や静物画にも取り組むようになり、現在は水彩の面白さを感じているようだ。いまだ公募展へ出展するために「クライシスシリーズ」は描き続けているというから、稲田さんにとって二種類の絵を描くことは、ある意味で心の均衡を保つ役割を果たしているのかも知れない。

稲田さんの「クライシスシリーズ」を眺めていると思い出すのは、一八五五（安政二）年十月二日に起きた安政江戸大地震のあとに多く出回った錦絵「鯰絵《なまずえ》」のことだ。地震を引き起こすとされた大鯰を扱ったこの鯰絵と呼ばれる版画は、二か月間で二百種類もが出回ったと言われている。しかし、当時の人たちは鯰が地震を起こすという説を真に受けておらず、地震に対する怖れや震災後の世相に対する風刺、あるいは世直しへの願望など、民衆のさまざまな思いを鯰絵に投影していた。つまり、人々の沈んだ気持ちを晴らし、災いを精神的に乗り越えるために役立っていたようだ。

帰り際、再び振り返ってみても、まだ富士山は雲に覆われたままだった。史実によれば、一七〇七年には史上最大のマグニチュード八・六とされる超巨大地震、宝永地震が南海道沖を震源域として発生した。その四十九日後には富士山が南東斜面から大噴火し、その噴煙は上空二万メートルまで立ち昇り、甚大な被害をもたらしたとされている。いつ発生するかもわからない南海トラフ巨大地震や、それに誘発されて大噴火を引き起こすとさえ言われている富士山。迫りくる〝Xデー〟が来たあと、はたして稲田さんの「クライシスシリーズ」は、僕らを絶望の淵から再び奮い立たせてくれる鯰絵のような存在になっていくのだろうか。そんなことを考えながら帰路についた。

ハローマイハウス
大谷和夫

Kazuo Ohtani 一九四八（昭和二三）年生まれ

TOKYO
For Others. With Others
Office Koyama

2013/3/10
親孝行通り
親孝行通り

暫
Beacon Fire
#4

NEIGHBORHOOD

Supreme
AAA

埼玉県南東部に位置する戸田市。最寄り駅から五分ほど歩いた閑静な住宅街に、派手な装飾と独特の色使いが目を引く家がある。ピンクとブルーを基調としたその外観は、海のない埼玉県に現れた「海の家」のようだ。

「親孝行通り」「海岸通り」などの看板が掲げられた外壁には、ひょっとこのお面をはじめ、鏡や玩具、著名人の写真など、多種多様な品が飾られている。中にはどこかで見た大統領の顔写真もあるが、誰なのかすぐに思い出すことはできない。その奇抜さに思わずカメラを向けていると、駐車場に座っている色黒の男性が話しかけてきた。

「リトルウェイト。これは、南アフリカの元大統領だったジェイコブ・ズマだよ。似てるだろ。上の娘が、俺と似てるからって、印刷して持ってきてくれたの。うちの娘が言うんだから間違いないよ。だから、これをアートにしてんだよ」

ニタっと笑みを浮かべるその男性こそ、家主で作者の大谷《おおたに》和夫《かずお》さんだ。「プライベートビーチ」と名付けた駐車場で、椅子に座り日光浴をしている最中だと言う。

「俺の名前は大谷和夫って言うんだけど、有名なんですよ。『大谷』ってのはメジャーリーガーの大谷翔平、『和夫』ってのはカズオ・イシグロがノーベル賞を獲っただろ。リアリィ？　だから、名前だけは合わせて数億の価値がある男なんだよ」

これまでたくさんの方の話を伺ってきた僕だが、これは苦戦しそうだと瞬時に感じとった。一握の砂のように、彼のユーモアが僕の質問をすり抜けていく。

一九四八年に千葉県で二人きょうだいの長男として生まれた大谷さんは、生後八か月の頃、家族で埼玉県戸田市に転居した。高校を卒業したあとに音楽教師になることを目指し、大学受験を試みるも

失敗。浪人しながらピアノを習い勉強を続けたが、途中で挫折してしまう。三年ほどアルバイト生活を続け、二十二歳の頃、結婚を機に「自分で商売なんてできないから、大きな会社に入れば将来は安定するだろう」と、大手出版社の営業職へ就職。六十一歳のとき、最愛の妻が他界したことをきっかけに退職した。

この二軒長屋は戦前に建てられたもので、二十年ほど前に亡き妻の親から建て替えを提案された際に改修費などを考慮した結果、自分のやり方で修繕することに決めた。若い頃、陸《おか》サーファーとして海に親しんできた大谷さんは、海をイメージしたロイヤルブルーで屋根を塗装。壁などのピンク色は、昔テレビで観たイタリアの街をヒントにした。大谷さんの英単語を多用したユニークな語り口は、欧米への憧れからだ。ちなみに英語は話せない。「だから黒く日焼けしてるんだよ。夏は、お金があれば江ノ島へ行くこともあるね。エロ島じゃないよ」と笑う。

家を囲う塀に展示されている品の多くは、廃品だ。ほとんどが拾ってきたりもらってきたりしたもので、いかにお金を掛けないで工夫するかという点に力を注いでいる。よく見ると、大谷さんが着ていたボアのブルゾンは首元の汚れを隠すために蛍光色で着色しているし、両腕につけた指輪やバングルも自ら細工したものだ。

「もともとアートに興味はあったんだけどさ、やり始めるとだんだん欲が出てくるんだよな」

そう話す大谷さんの朝は早い。夕方六時には就寝し、深夜二時頃には起床する。起きたらラジオをつけ、気になる言葉があったらメモを取る。飾られている詩や格言は自作ではないが、自分のアンテナに反応したものを書き留めて貼っているんだそう。

「完成形はなくて、毎日何か変えるように

してるからさ、忙しくて認知症になる暇ねぇんだよ。でも、この家は震災のときだって倒れなかったんだから」

東日本大震災のときに絆の大切さを感じた大谷さんは、震災後から孫の写真を外壁に貼り始めた。残念ながら拝見することはできなかったが、室内には大好きな二人の孫の写真が、びっしりと百枚以上も貼ってあるそうだ。こちらに微笑みかける子どもたちの写真は少し色褪せている。いまはすっかり大きくなっているようだ。

「二人の娘が思春期の頃、恥ずかしがっちゃってさ。人がいないのを見計らって帰宅してたみたいだね。いまは二人ともデザイン関係の仕事で働いているから、仕事で不要になったマネキンとかを持ってきてくれるようになったわけ。人間ってのは慣れてくるんだよね」

これまで「お化け屋敷」と揶揄されたこともあるし、強風が吹くと設置しているものが飛ばされることも多いそうだ。いろんな意味で風当たりの強い大谷さんの家だが、途中でやめようと思ったことは一度もないと言う。

「この家は俺のアイデンティティーなんだよな。今後は、地方の活性化というか、若いアーティストが見て感化されてくれればさ。若い人のための試金石になればと思ってね。世の中いろんな人がいるけど、こういう人もいるんだと思ってくれたらさ、いいんだよ」

一瞬、大谷さんの表情が変わったのが僕にはわかった。きっと心からの願いなんだろう。考えてみれば、僕らは「なぜ？　どうして？何のために？」と物事の理由を考えすぎているのかもしれない。

大谷さんは、道ゆく人たちと軽快に挨拶を交わす。「また馬鹿なことやってんのね」と、別の誰かが自転車のベルを鳴らして通り過ぎていく。この家は、大谷さんからの「挨拶」なのだ。僕らはそれに対して理由を尋ねるのではなく、何かを感じ取って挨拶という「表現」で返さなければならない。

玉城秀一

Hideichi Tamashiro　一九四八（昭和二三）年生まれ

枯れない盆栽

福松

「店のおじさんが不思議な盆栽をつくってたんですよ！」

買い出しから戻ってきた男性が興奮気味に教えてくれた。ちょうど、美術家の中ザワヒデキさんが代表を務める人工知能美学芸術研究会（AI美芸研）のシンポジウムで沖縄に滞在していた夜のことだ。

彼の話に興味が湧いた僕たちは、ぞろぞろと近くのスーパーへ歩みを進めた。真っ暗な夜道の中で、煌々《こうこう》と明かりが灯った場所にたどり着いた。それは那覇市内にある個人商店で、駄菓子から日用雑貨までさまざまな品が雑多に並ぶ店の奥に、たくさんの「盆栽」はあった。一見すると、どこにでもあるような盆栽だが、何かがおかしい。目を凝らしてみると、アイスクリームのヘラにマジックで「月乃宿」「七曲」などの名前が書かれたそれらはすべて、ニセモノの素材を使ってつくられた「盆栽」だったのだ。

「すべて室内用の盆栽で、こんなのは思いつきでつくったのさ」

声をかけてきたのが、このスーパーを営む作者の玉城秀一《たましろひでいち》さんだ。

玉城さんは、一九四八年に四人きょうだいの長男として久米島で生まれた。玉城さんが生まれてすぐ、家族で糸満市へ転居。その後も玉城さんが五歳くらいから十歳くらいの間は、那覇市内で転居を繰り返した。一家が住んでいた家はいつも借家だったため、都市計画の立ち退きで転居を余儀なくされていたそうだ。

玉城さんは高校卒業後、那覇市内の貿易会社に勤務したものの、肌に合わず半年で退職。当時の沖縄はまだアメリカ合衆国に統治されていた時代で、就職難のために本土へ働きに出る人が多く、玉城さんも友だちのツテを頼って熊本・名古屋・大阪・鹿児島と全国各地を転々としながらアルバイト生活に明け暮れた。「東京の赤羽にあった運送会社で長距離ドライバーの助手として、半年くらい家具を運んでたこともあるのさ。でも、定職に就くわけでもなく、若さゆえの風来坊だったのさ」と当時を振り返る。

「昔は根性が悪くて、なんで他の国の言葉まで覚えなきゃいけないんだという反発心が強かったのさ。だから英語の勉強を全然しなかったんだけど、次第に英語の必要性を感じるようになったわけさ」

そう語る玉城さんは、英語を身につけるために沖縄へ帰郷。ネイティブが教師を務める専門学校に一年間通い、英語の勉強を開始した。朝から昼まではその専門学校へ通って英語を学び、夜は沖縄大学で経済を学ぶという勉強漬けの毎日。ところがある日、バスのストライキで学校までの足がなくなってしまったことで、大学を二年で中退。勉強もやめてしまった。二十歳になっても定職に就くという気持ちを持てないでいた玉城さんだったが、魚屋の仲買人をしていた知人に頼まれて、そこで運転手として五年間勤務した。知人のマグロの買付けなどによく同行していたようだ。

「そのあと、当時はバブル期だったから家族経営の冷凍店を始めたのさ。親父と僕と弟三人で、よく離島へ配達に行ってたんだけど、大手スーパーなどができて、僕ら零細企業は潰れてしまったわけなのさ」

やがて両親が他界。友だちの店を引き継ぐかたちで、三十歳を過ぎてから現在のスーパーの店舗経営を任されるようになった。

そんな玉城さんが「盆栽」制作を始めたのは、いまから二年前の二〇一七年二月のこと。いつも買い物に行っている百円ショップに並べられていた造花の葉を見たことで盆栽制作を思いつき、仕事の合間に制作に取り掛かるようになった。

「別に盆栽に興味があったわけじゃなくて、普通の盆栽だと何百万、何千万とお金が掛かるけど、これなら数百円で好きなようにつくることができるわけさ。七十歳を機に、いろいろなものが衰えてボケっとする時間が多くなるから、気分転換にやってるだけさ。『何のために』と聞かれたら、ただの自己満足でしかないのさ」

制作方法は、最初にプラスチック製の鉢皿の大きさに合わせて木材を打ち込んでいき、土台を作成。「盆栽」の幹の部分は、針金にペットボトルを巻きつけ、端切れなどを束ねて自由に形を造作していく。ときには漆喰で固めることもあるし、松ぼっくりのカサを貼り付けることもある。枝を差し込むために幹にドリルで穴を開けたり、釘を打ち込んだりすることもあるようだ。「だんだんレベルが上がってくるわけさ」と語るように、常にその制作スタイルは変化し続けている。そして出来上がった「盆栽」はテレビの上などに置いて毎日眺めるようにしている。そうすると、次第に「もう少しこうしたほうがいいな」という疑問がふつふつと湧き出てくる。

「そのとき初めて、この木に『よっしゃ』っていう覚醒が生まれて、さらに深みが出てくるわけさ」と玉城さんはその気持ちを独特の言い回しで表現する。そうした制作スタイルを「『盆栽』と対話する」という言葉で説明してくれた。玉城さんのこうした姿勢は、世間一般で「芸術家」と呼ばれる人たちが「作品」に向き合う姿と酷似している。つくりながら作品に教わっている、いや「作品の力で、玉城さんはつくらされている」と言って良いかも知れない。

玉城さんは百円ショップで購入した絵の具を塗布したり、松の造花や水槽用の水草などを取り付けた

りして、仕事の合間を利用して二、三日で「盆栽」を制作している。しかし、その後も「対話」を繰り返すため、本当の意味で完成するまでには半年から一年ほど掛かるそうだ。これまで五十体以上を制作し、その多くは知人に譲ったり売却したりしてきた。販売価格もひとつ一万円だったり五千円だったりと、そのときの気分次第。すべて安価な材料を使用しており、完成後には形を見て、アイスクリーム用の木製ヘラを差し込んで名付けを行っていく。そうした一連の行為は、まるで高貴な盆栽業界へ反旗を翻すかのようで、何とも痛快だ。

「使ってる『松の葉』は水草用の水槽に入れるものなんだけど、百円ショップにもう売ってないわけさ。蛍光色で光るような不自然な葉っぱしか売っていないから、いまは仕方なく上から絵の具を塗ってんのさ」

まるでホンモノに挑戦するような玉城さんのニセモノの「盆栽」は、さまざまな材料を取り込み、独自の進化を遂げている。玉城さんのその豊かな創造性は枯れるどころか、どんどん花開いているようだ。玉城さんが、今後このニセモノをどんな創意工夫で発展させていくのか、僕は楽しみでならない。そして齢七十を迎えたとき、僕はいったい何を創造するのだろうか。年をとるのも、ちょっぴり楽しみになってきた。

自己救済としての表現

本田照男

Teruo Honda

一九四六（昭和二一）年生まれ

SUBSCRIBE
A.CAT

故郷を描いた絵画

アニメ『ラブライブ！サンシャイン!!』の舞台になったこともあり、聖地巡礼が盛り上がりを見せる静岡県沼津市。駅から歩いて二十分ほど南下した場所に、「焼肉ペテコ 本田苑」という閉店した焼肉店がある。シャッターの上がったガラス窓から店内を覗くと、数々の色鮮やかな絵画が立てかけられている。

「空いたところがあると、そこの部分が空洞になったような気がして落ち着かないもんですから、どうしても色を置きたくなります」

そう話すのは、この店の店主であり、こうした作品群の作者である本田《ほんだ》照男《てるお》さんだ。入店して驚いた。客席には足の踏み場もないくらいの膨大な作品や画集が散乱し、アトリエと化している。吊り下げられた鞄や山積みになった靴など、あらゆるものが本田さんの手にかかれば作品になってしまうようだ。「本当は壁全体に描いてみたいんだけど、お金が無くて」と微笑む。画材や作品であふれた机と机の間に置く板が机がわりになっていて、その場所がわずかな制作スペースになっている。本田さんは椅子に腰掛けて、ゆっくりとその半生を語ってくれた。

本田さんは、一九四六年に静岡県賀茂郡仁科村（現在の賀茂郡西伊豆町）で三人きょうだいの長男として生まれた。両親は衣料品販売の行商をしていたため不在のことが多く、小さい頃から山や川で遊んでいたようだ。

「小学校一年生のとき、自分を見る周りの視線が他人とは異なっていることを感じました。母は宮崎県日南市出身なんですが、親父は韓国の南端に浮かぶ済州島の出身だったので、そのときに、人種差別を受けていることに初めて気づいたんです」

学生時代は日韓の歴史書を読むなどして、次第に人権問題へ関心を寄せるようになった。「法律を勉強して差別を受けた人の弁護をしたい」と、高校卒業後に専修大学法学部へ進学。途中で弁護士の道は挫折してしまったが、法学部の仲間に誘われて詩吟に熱中し、青春を謳歌した。

「田舎から出てきて最初の授業のときに、大学教授が日本国憲法の話をしたんです。平和憲法であるから大切にしなければいけないことを説く一方で、僕たちは労働者階級で、資本家たちから搾取されているということを教えられました」と語る。ちょうど時代は各地で大学紛争が起こり始めていた頃。本田さんも詩吟を嗜《たしな》みながら、少しずつ大学紛争の波へと巻き込まれていったようだ。

「大学卒業後は自分の出自の関係で差別を受けて、就職先がありませんでした。伯父が大阪で焼肉店をやっていて、面白そうだなと思ったんです。その準備のために、知人の紹介で六本木にあるレストランでコックとして働き始めたんですが、身元調査を受けて一年ほどで辞めさせられたんです」

その頃になると、両親の行商も通信販売の台頭により経営が下火になり、「何とかならないか」とたびたび相談を受けるようになった。そこでかねてから憧れていた焼肉店を沼津市で開業することを決意し、昭和四四（一九六九）年四月四日に「焼肉ペテコ　本田苑」を始めたというわけだ。

「ペテコっていうのは、フランス語で新米という意味です。でも四が続いて縁起が悪かったもしれませんね」と笑う。最初の二年ほどは妹と二人で店を切り盛りした。二十五歳の頃には学生時代から交際していた二歳年上の女性と結婚し、やがて二人の子どもを授かった。結婚した頃からは、三歳下の弟と妻の三人で店の経営を行うようになったが、当時は焼肉店の数も少なかったこともあり、だんだんと店は繁盛していったようだ。そんな本田さんに、二つの大きな転機が訪れる。

「女房が横断歩道を渡っているときに交通事故に遭い、瀕死の重傷を負ってしまったんです。意識がない状態でしたが、回復して面会に行ったら『アメリカへ留学したいから暇を下さい』と言ったんで

す。一度決めたら頑として譲らない女性だったから、彼女の決断を受け入れて五十代後半で離婚し、子どもたちの親権も彼女が持つことになりました」

もうひとつの転機は、本田さんが六十六歳のときに訪れた。一緒に焼肉店を経営していた三歳下の弟が心不全で突然他界。その後、二〇〇一年から国内での狂牛病騒ぎや二〇一二年四月から医薬業界、医師への過剰接待禁止が強化されたことも客離れにつながっていった。妻子を失った寂しさもあり、ひとりで店を続けることが難しくなり、半世紀近く続けた焼肉店は、二〇一三年にその幕を閉じることとなった。

そんな本田さんが絵を描き始めたのは、六十歳になったある日のことだ。まだ焼肉店を経営していたとき、知人に向けて手紙を綴っていると、NHK「ラジオ深夜便」からバッハのマタイ受難曲が流れてきた。勝手に手が動き出し、音楽に合わせて自動筆記で、描いたこともないような絵を描き出したようだ。「それまで絵なんて描いたことがなかったから本当に驚きました」と当時を振り返る。その絵を手紙に同封して送ったところ、知人から「面白い絵を描くね」と称賛され、十二冊の名画集をプレゼントされた。ピカソやカンディンスキーなどのさまざまな画家の存在を知る中で、特にパウル・クレーの画風に魅了され、そこから毎日絵を描き続けている。

使用しているのは、アクリルやペン、墨、チョークなどあらゆる画材で、下描きなどせず画面に直接描き込んでいく。主な題材としているのは、小さい頃に遊んだ山や川といった、本田さんの心に残る原風景だ。二〇一一年からは県内のギャラリーなどで個展を開催したり、公募展に出展したりするようになったが、本田さんによれば、いずれも自分の意思ではなく、知人からの勧めで発表しているらしい。「描かずにはいられない」という衝動が、本田さんの制作を後押ししている。

「絵は売れないし、発表するたびに額が必要になってくるため、個

展をすれば赤字になってしまいます。国民年金とわずかな家賃収入が収入源のすべてですから、赤貧の暮らしを送っています。焼肉屋で働いていた頃の生活リズムが身体に染み付いているので、昼頃起きて時々仮眠しながら、一日中ずっと描き続けていますね。描き続けていると、一年に一、二回ほど、ピカソやベートーベンなど先達の人たちが自分に語りかけてくれる瞬間があるんです。そのときに生きてて良かったと感じるんですよね」

三十八歳のときには心臓を患い、成功率二パーセントという生死をさまよう大手術を受け、現在でも体の中には人工弁と人工血管が入っているという。手術前夜に、「もし助かることができたら、一分一秒を大事にして生きていこうと決心したんです」と教えてくれた。その後、本田さんは離婚や弟の逝去、そして焼肉店の閉店など、度重なる不幸に見舞われてしまったが、自分の心を奮い立たせるために絵を描き続けてきたように思える。毎日手を動かして創作を続ける日々の生活リズムこそが、本田さんの精神的な拠り所になっているようだ。

「心の深層では差別は克服されておらず、未だ理不尽な思いを抱えて生きています。現在でも自分は根無草だと感じており、差別や人種を超えて平和でありたいと願っています。そのためには、みんなに絵を描いてほしいんですよ。丸、三角、四角さえ描ければ、絵を描くことができるんです。一緒に絵を描くことで、そうした小さな喜びを人々へ与えていくことをしていきたいですね」

あくまで自分は素人だと自認し、誰でも絵を描けることを伝えるために、本田さんは抽象画を描き続けている。ぎりぎりの生活を続けながら、寝食も忘れ、絵のことだけを考えている暮らしの姿がここにある。二〇二一年に発表された政府の骨太方針（経済財政運営と改

革の基本方針）の中で、孤独・孤立対策の施策として「社会的処方」を活用していくことが明記された。薬でなく「社会的な繋がり」を処方することで社会的孤立を解消し、問題解決を図ろうとするこの「社会的処方」は政府の重点課題になっているが、本田さんが行っているのはセルフケアとでも言うべき自己救済なのだろう。

後日、取材のお礼として本田さんから手紙と作品が送られてきた。綴られていたのは、訪問に対するあふれんばかりの感謝の思いだ。こんな風に一期一会の出会いを大切にする本田さんだからこそ、個展や公募展への出展などを勧める支援者が周囲には多いのだろう。地位や名声を求めてはいないけれど、なんとか作品が広まってほしい。僕もそんなことを願っている。

二人三脚の折り紙細工

国谷和成・みよ子

Kazushige Kuniya・Miyoko　一九四三、一九四六（昭和一八、二一）年生まれ

漁師の経験をもとに制作された魚や東京タワーなど

AWA

緻密につくられた豪華客船

掛け軸以上の高さを誇る東京スカイツリー

行こうと思いつつも、これまで足が遠のいていた場所がある。それは、能登半島の北端にある石川県能登町だ。北陸新幹線の開通により金沢までの移動は便利になったものの、そこからさらに北上した地域へは、やはり億劫になってしまう。ましてや僕の住んでいた広島県福山市からだと、一度関西まで出てそこから特急サンダーバードに乗り換え、金沢から高速バスで輪島まで向かい、さらにレンタカーで一時間かけて北上するという、とんでもなく時間のかかるルートしかない。けれど、この機会を逃すともうお会いできないかもしれない。そんなことを考えているうちに、僕の足は自然と能登へと向かっていた。

初めて訪れた能登は、穏やかな日本海に寄り添うように続く町並みが、どこか郷里の鞆の浦を彷彿とさせた。しばらく車を走らせていると、海岸沿いに広がる閑静な住宅街にたどり着いた。そこで待っていてくれたのが、国谷《くにや》和成《かずしげ》・みよ子さん夫妻だ。玄関の下駄箱

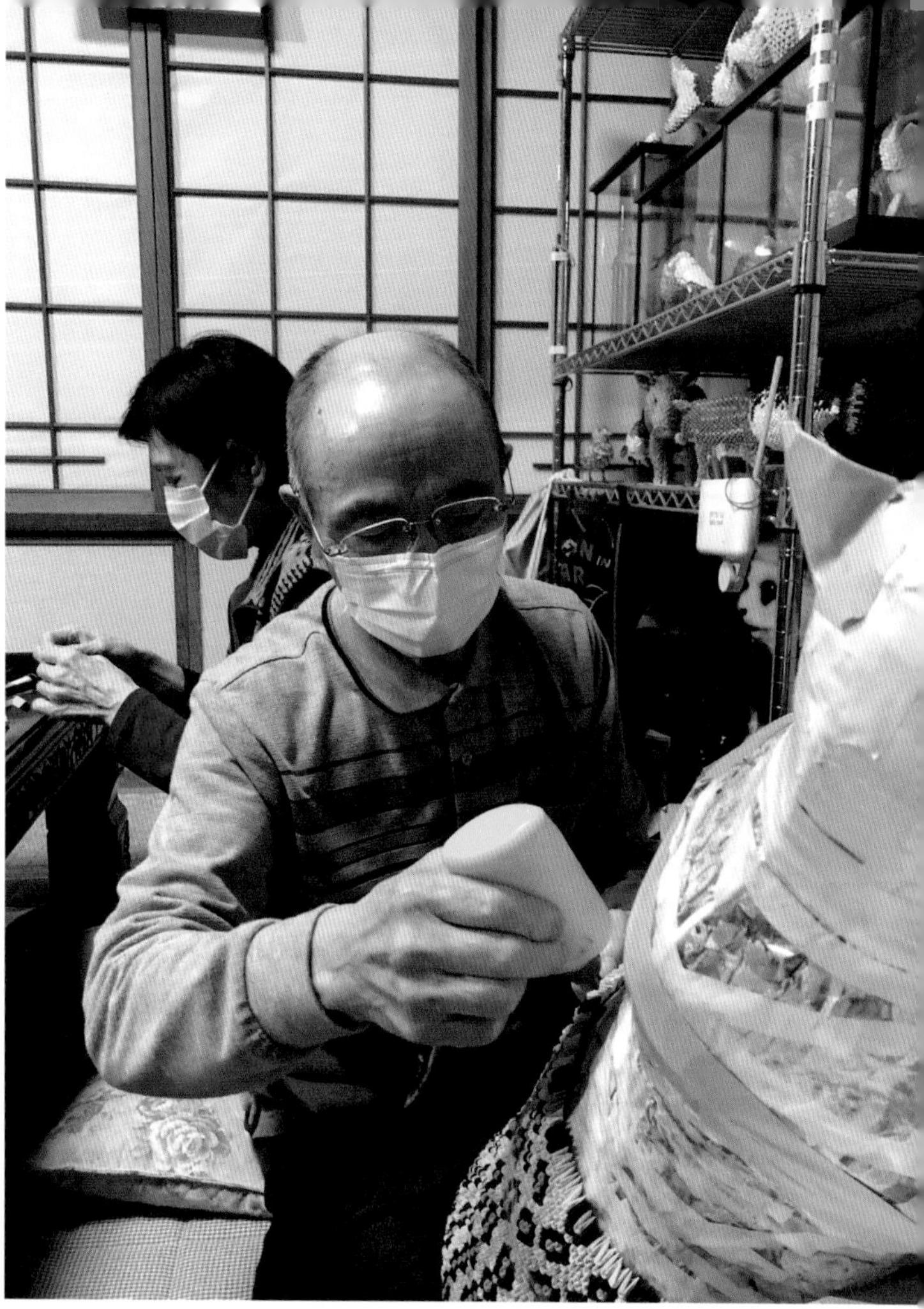

制作中の和成さん、みよ子さん

の上には、東京タワーやカエル、魚やバンビなどの形をした、色鮮やかな立体作品が並んでいる。部屋に上がると、全長一・五メートルの豪華客船をはじめ、電飾を備えた巨大な東京スカイツリーや、いまにも歩き出しそうな二頭のチーターなどがいて、思わず目を奪われた。これらはすべて「ブロック折り」という手法でつくられた折り紙だ。ブロック折りとは、長方形の紙を折ってつくった三角形の折り紙を積み木のように積み重ねていく折り方を指す。ここまで独創的で大小さまざまな折り紙の作品を、僕は見たことがない。夢中になってカメラを向けていると、和成さんは「手先を使う仕事は嫌いでねかった。何しろ漁師だから」と教えてくれた。「漁師」と「折り紙」というミスマッチな二つの言葉に、僕は和成さんの人生にも一気に興味を持ってしまった。

一九四三年に五人きょうだいの次男として能登町で生まれた和成さんは、「あの頃は工作とかはあんまりしなくて、外遊びばっかりでよ。中学を出たら、長男と一緒に親の跡を継いで漁師よ。昔はそれが当たり前の時代でな。小さな船を一隻持っとったから船団を組んで、親父と長男と一緒に北海道へサケ、マスやイカ釣りへ行ってな。冬に海がしける時期だけ帰ってくる感じだった」と当時を振り返る。

時代の流れとともに漁師を辞める人も多くなり、和成さんも四十七歳頃まで漁師として働いたあと、大手発動機メーカーに就職。滋賀県の社員寮に入り、見習いとしてエンジンの加工技術などを基礎か

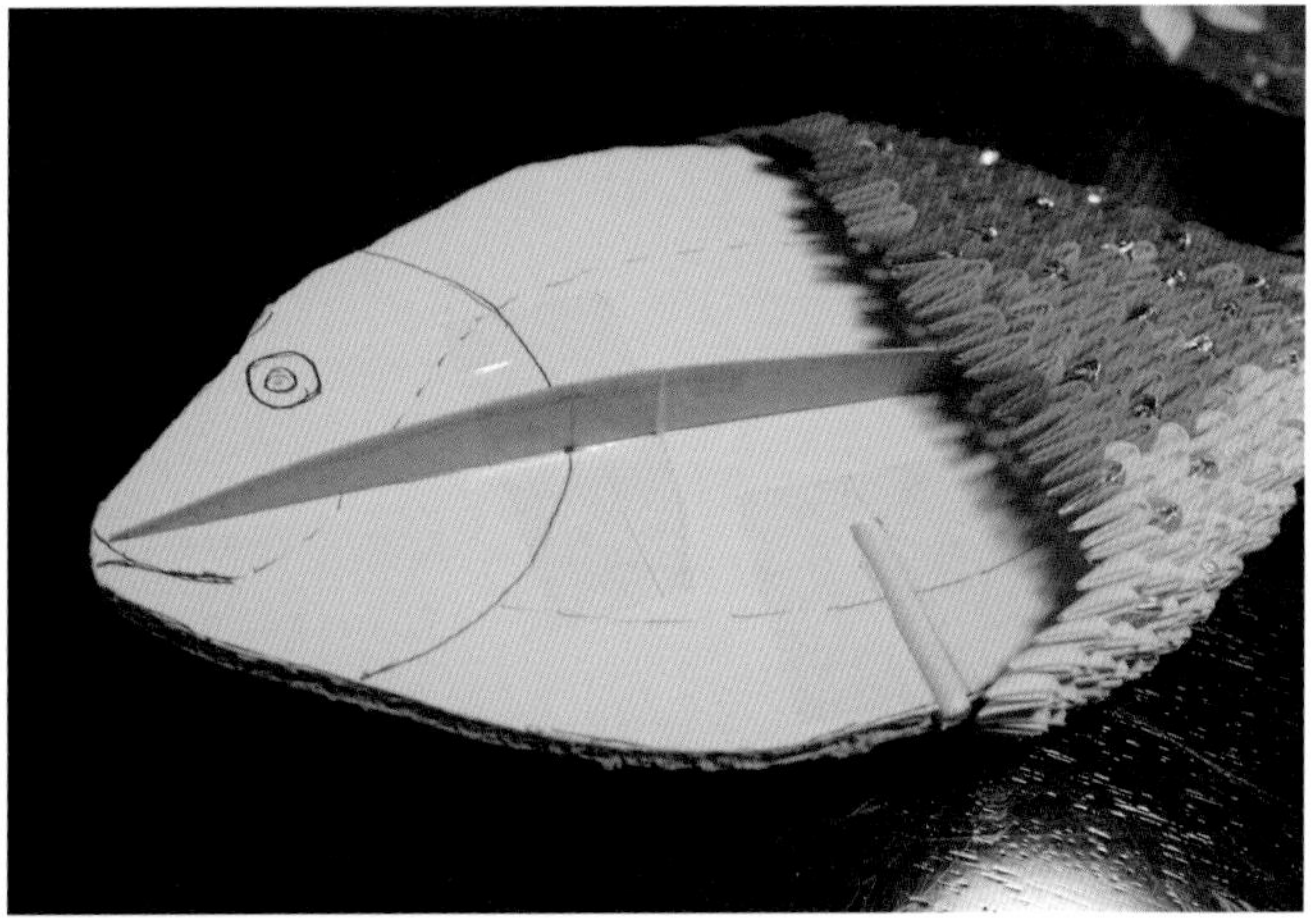

制作途中の魚。ダンボール板の上に折り紙を重ねていく

ら学んでいったそうだ。単身赴任だったため帰省できるのは盆正月のみという生活を三年間送ったあとは、富山のアルミサッシ会社に転職し、六十五歳で定年を迎えるまで働いた。「あの頃は景気がよかったから転職できた」と笑って語る。富山は滋賀に比べれば自宅から近距離だったため、仕事が休みの土日には帰省することができた。和成さんが制作を始めたのは、定年が間近に迫った五十代後半のことだ。

ある日、富山から帰宅した和成さんは、みよ子さんが習ったキティちゃんのブロック折り紙を楽しむ姿を目にした。机の上に広げられたブロック折りの束を眺めているうちに、「俺もやってみよう」と手本を見ながら小鳥などの制作を開始。やがて、「決まったもんばっかりつくってもつまらねぇ」とオリジナル作品づくりを志すようになった。漁師の経験を生かして最初に制作した魚は、知人にプレゼントした。夫婦で試行錯誤を重ね、次第に技術は向上。みよ子さんが紙を折り、和成さんが設計と組み立てを担当するという、二人三脚で制作を進めた。数か月かかる大作にも挑戦し、六年間でつくった作品は百五十体を超える。

制作の方法は、まずダンボール板に横向きの絵を描いて、もう一枚のダンボール板を中心で十字に交差させる。あとは実物の膨らみを想像して、木工用ボンドをつけた折り紙を差し込んでいき、隙間に新聞紙を詰めていく。写真や図鑑などの資料を参考に立体の造形を想像するというから、その空間認識能力の高さには度肝を抜かれ

てしまう。ダンボールへの下書きもさることながら、いちばん大変なのは紙を折る作業だ。二頭のチーターをつくるのに費やした折り紙は百万枚にのぼる。ライトアップする仕掛けの東京スカイツリーは、完成途中と完成後の二作品を制作した。透明な下敷きを加工したスカイツリーの小窓や、お菓子の木箱に折り紙を巻いた台座など、各所に工夫を施した。

話を伺うと、使用する材料のほとんどは百円均一の品で揃えているそうだ。地元では折り紙の色数が豊富にないため、定期的に金沢まで買い出しに行くという。表現することに高価な道具は必要ない。身近な素材を工夫することで、人は想像と創造を行うことができる。

こうした夫婦の活動が知られるようになったのは、制作を始めて四年ほど経った頃のことだ。地域の公民館での作品展に鯛や鶴など五点ほど出品したところ、それが話題となり地域の人たちに知られるようになった。以後、毎年この作品展には出しているが、他の公募展や美術展には出展していない。

折り紙制作に飽きてきた三年ほど前からは、折り紙の代わりにタオル生地などを使った動物の制作を始めた。中に詰めているのは、ブロック折りと同様に丸めた新聞紙だ。最初は、帰省時に孫たちも手にとって遊んでいたそうだが、やがて「アレルギーがあるから触らんようになった」と笑う。

倉庫に収納できなくなった作品は、どんどん他の部屋にも侵食を続けている。まるで、家中を闊歩し自由に飛び回る作品たちの中に、国谷さん夫妻が居候しているかのようだ。「わしらぁ、もう歳だから誰かがこれを勉強して、もっと上手なのをつくってくれたらいいかな」と語る謙虚な姿に、僕の胸は熱くなる。地域の人以外には誰にも知られることなく、今日もアートワールドの外で制作を続ける夫婦が、ここにはいる。

 Kazushige Kuniya・Miyoko

自分のために描く日々

田口Boss

Boss Taguchi　一九四五（昭和二〇）年生まれ

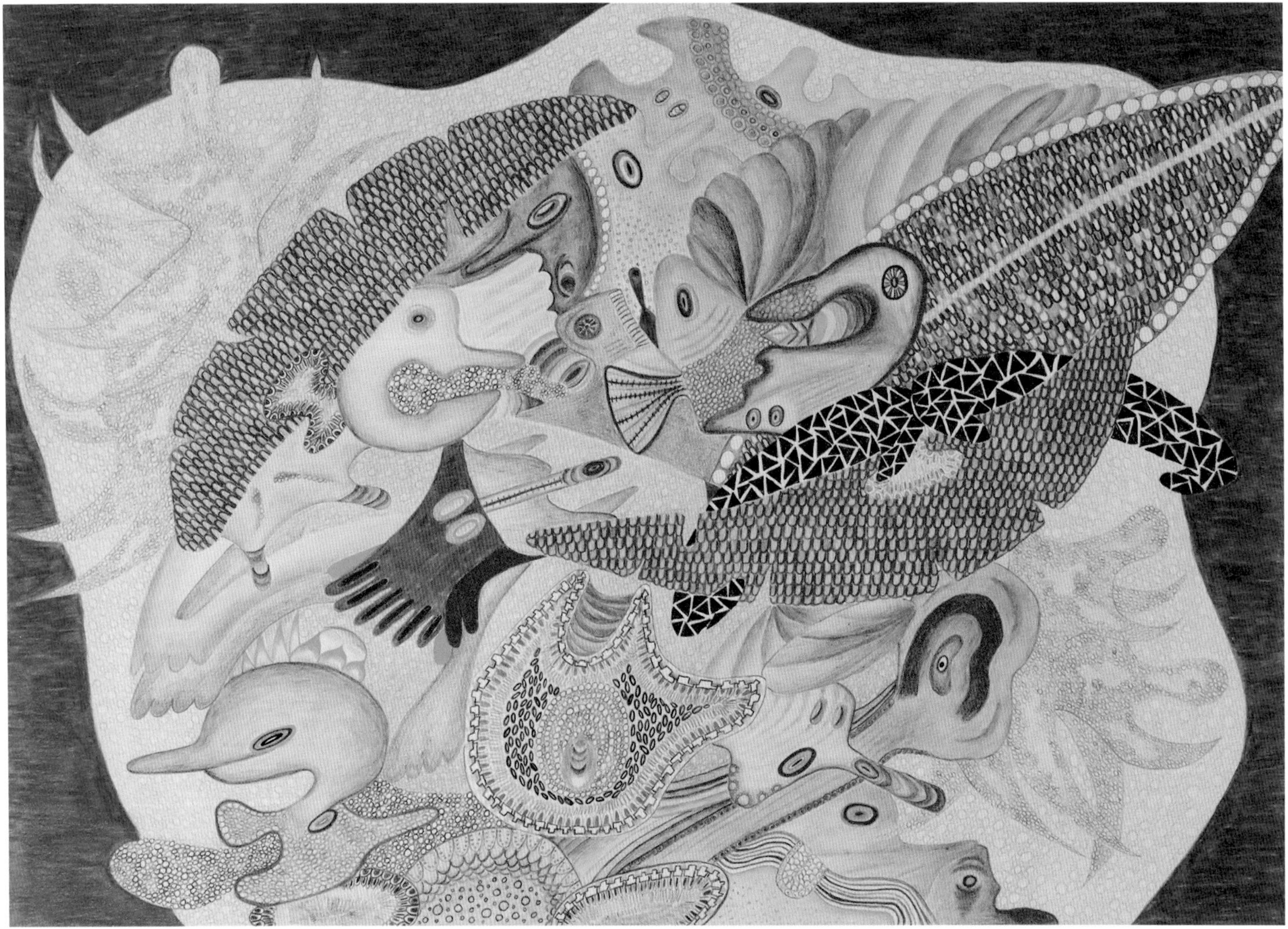

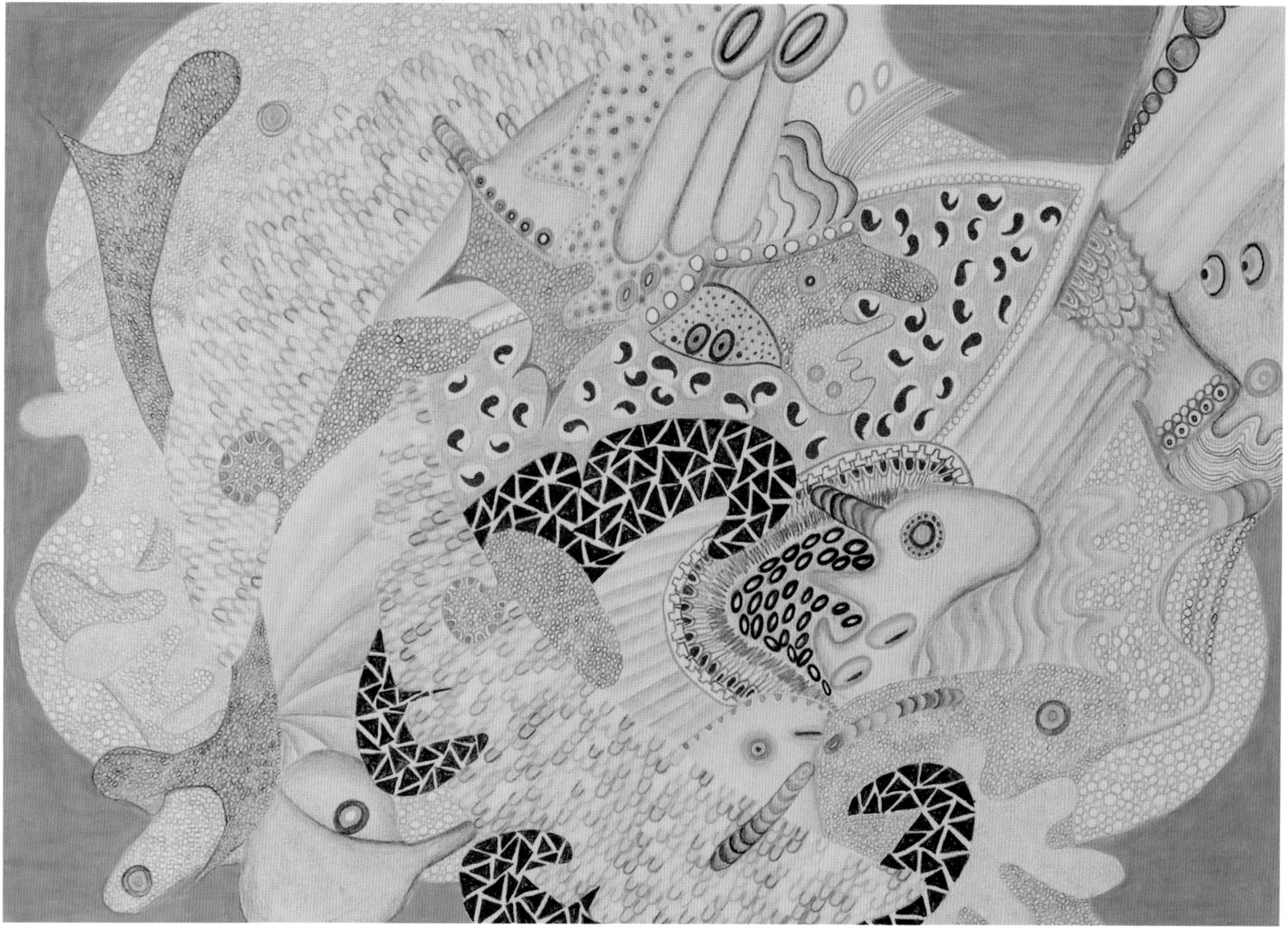

写真家の知人から届いたメールには、奇妙な模様が描きこまれた画像が添えられていた。色鉛筆で丁寧に塗り込まれたその画面には、まるでツチノコやアメーバのような、不思議な生物がうごめいている。

「実は、私の母が毎日描いている絵なんです」

その作品の魅力もさることながら、作者が七十歳を超えた女性であるというだけでなく、ここ数年の間に独学で描き始めたという事実に、僕の心は一気に鷲掴みにされてしまった。

「田口Ｂｏｓｓ（ボッス）」と名乗る作者は、熊本市内で暮らしている。一九四五年に島根県で二人きょうだいの長女として生まれた。三十五歳のときに夫と知り合い、結婚。東京に本社を構える出版社の営業所として、山口県内で夫と一緒に絵本販売の業務に従事した。長野で長女を出産し、すぐに山口へ戻ったあとは、転勤のため、広島や佐賀、熊本など各地を転々としたようだ。

「夫が会社を辞めたいって言うから、熊本市内で一九九二年に夫婦だけの絵本屋を始めたんです。ただ、『絵本をください』ってお客さんが来ても、店番をしている私が講演会のように喋りすぎちゃうもんだから、あまり利益が出なかったんです。商売下手だったので、一九九六年からは、おもちゃ専門店に移行していったんです」

熊本市内で初めてのヨーロッパの玩具専門店として、ドイツを中心とした木の玩具を専門的に扱い始めたものの、ヨーロッパの玩具は市販の玩具よりも高価で、かつ広く知られたものでもなかったため、当初は収益を上げることに苦労したようだ。一九九七年からは、店舗の一角で就学前の子どもたちを対象に「何も教えない」ことをコンセプトに掲げた幼児教室を開講。そのときから「Ｂｏｓｓ」という名を名乗り始めた。

「ヨーロッパの玩具を売るために、子どもの発達について学び始めたんです。勉強していくうちに、次第に『うちの子を見ていただけませんか』ってお客さんから声が上がり始めました。でも、私は教師でも保育士でもなかったでしょ。夫と話し合って、幼児室にすることを決めたんです。とはいえ、子どもたちは自分で成長する力があるから、幼児室は何かを教えることが目的ではありません」

子どもたちは店内にあるヨーロッパの玩具で自由に遊ぶことが可能で、子どもの認知発達について学んだ田口さんら専門家のサポートのもと、遊びを通じて子どもの発達に応じた成長をサポートする教室になっていたようだ。田口さん夫妻は「しっかり・ゆっくり・まちがってもよい」を理念に、およそ二十年にわたり、たくさんの子どもたちの成長を見守ってきた。

そんな田口さんに転機が訪れたのは、二〇一六年四月一四日のこと。相次いで発生した熊本地震により、住居にしていた借家の天井には大きな穴が空き、半壊してしまった。地震を機に生活は一変。中学校の体育館で寝泊まりする生活から、みなし仮設住宅を経て、現在は市営住宅に住むことができるようになった。店舗のほうはすべての経営を知人の女性に譲ったが、「仕事を辞めて、家でゴロゴロ寝ているのは嫌だから何かしなきゃ」と始めたのが、絵を描くことだった。

「子どもが生まれた頃は、見よう見まねで油彩を描いていた時期もありました。カンディンスキーが好きで描いてみたら、知人から『若い頃のカンディンスキーみたいだね』と言われて驚いたことを覚えています。当時は、絵を描くなら油絵を使わなきゃと思い込んでいたんです」

そのとき使っていた油絵の道具は、被災により使い物にならなくなってしまった。「本当は油絵で描きたかったけど、いま住んでい

制作道具

る家は狭いし、お金もなかったから無理だったんですよね」と、手軽に入手することのできる色鉛筆を使って絵を描き始めたというわけだ。

朝は十時から正午まで、昼食後は午後一時から午後三時くらいまでと、毎日のように絵を描き続けている。一枚の絵を仕上げるのに、四、五日かかることもあるようだ。

「好きで描いているから、気分が乗らないときは描かないんです。ただ、何のために描いているのか自分でもわからないんですよね。描いたら、自分がすっきりするんです」

これまで描いた作品は三百枚ほどにのぼる。田口さんによると、描きたいものを決めて下描きのようなものを描くこともあるが、描き始めるとまったく別のものができあがってしまうという。何かを見ながら描くことはないが、一時期は人の身体や細胞に興味があり、インターネットで探したり、興味があるものを見つけると虫眼鏡で拡大して眺めたりすることもあったようだ。

「絵が完成したときは嬉しいんですけど、見ているうちに気に入らないところが出てきちゃうから、また次の絵を描いてしまうんです」

なんという原初的な動機だろうか。これ以上に絵を描くという切実な理由ってないだろう。田口さんによると、地震のあとに最初に描いた作品は、木から手が生えたような絵画だったという。あまりにも気持ちが悪かったから、途中で描くのは止めてしまったようだ。そして描き続けているうちに、得体の知れないキャラクターのようなものが画面に出てくるようにな

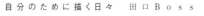

った。

振り返ってみると、子どもを産んだあとや熊本震災のあとなど、田口さんは人生の節目に直面するたびに絵を描いてきた。「根底には、描きたかったという思いがあると思うんです」と語るように、田口さんの心の奥底に眠っていた表現衝動が、出産や震災を機に顕在化したのかも知れない。

「いままでは子どものためや家族のために時間を費やしてきたけど、これからは自分のために生きたいなと思うようになりました。この先、死ぬまでの時間に何をしようかと思ったときに、もう、絵しかないなと思ったんです。いまは毎日絵を描くことができて、夢のような生活を送っています。ただ、幼児室で働いていたスタッフの勧めでSNSも始めたんですけど、この絵が良いのかは私にはわかりません。かつて絵を描いていた主人は、『すごく面白いから続けたほうが良い、やめたらあかん』って応援してくれています。やっぱり誰かが評価してくれないと続きませんからね」

田口さんの絵で驚かされるのは、すでに画風が確立していることだ。どんな作品を見ても、すぐに田口さんが描いたものだとわかる。しかし、ひとつとして同じ作品は存在していない。その豊かな表現は、僕らがこれまで抱いていた従来の「高齢者が描く絵画」というイメージを軽やかに打ち砕いてくれる。「いまは積極的に見せたり売ったりするつもりもないんです。八十歳になったら、みんなに知らせるために個展を開催したい」と呟くが、あと四年なんて待つこともなく、僕には田口さんの作品が多くの人に知られていく未来しか見えない。

なんぞしなあかん

土屋修

Osamu Tsuchiya

一九四四（昭和一三）年生まれ

ミラ
YRV
ムーヴ
エブリ

日本列島のほぼ中央に位置し、水の都と呼ばれるほど豊かな地下水に恵まれた土地として知られている岐阜県大垣市。市内の県道沿いに、カンガルーやキリン、孔雀などのオブジェが顔を並べる場所がある。この家に住む土屋修《つちやおさむ》さんが古いタイヤを利用して制作したもので、子どもたちに人気の名所となっている。

「保育園のマイクロバスが止まって、よく子どもたちが来てくれて。子どもらが『トカゲや怪獣がおる』って言うから、『これはトカゲやなくてワニやよ。あっちのは怪獣やなくて恐竜やよ』って説明しとるんやて」

そう話す土屋さんは、一九四四年に四人きょうだいの次男として大垣市で生まれた。「昔から図画工作だけは成績が良かった」と語る土屋さんは、手に職を持っておいたほうが良いという父の勧めで、中学卒業後から近所の自動車会社に修理工として勤務した。給料が安かったため、三年後、十八歳になったのを機に大型自動車の免許を取得。地元の運送会社に転職し、長距離ドライバーとして働いた。二十五歳のときにはダンプカーを買って独立し、和歌山県や兵庫県などの県外へ石灰を運送した。朝から晩まで働き詰めで稼ぎの多かった土屋さんは、二十三歳のときに土地を購入し、自ら埋め立てるなどして整備。二十九歳で結婚し、そこへ家を建てて転居した。

現在のようなものづくりに取り組むことになった経緯は、一九八六年頃、テレビでタイヤを利用した鉢植えカバーの制作風景を目にしたことだ。それまで仕事でたくさんの古タイヤを見てきた土屋さんは、仕事帰りに山間部にあるゴミ処理場へ立ち寄っては、廃棄予定の古タイヤを十本ほど譲ってもらうようになった。ゴミ処理業者もタイヤの廃棄に困っていたので、とても喜んでくれたそうだ。持ち帰ったタイヤを休日になると自宅の庭で加工。ホイール部分に植木鉢を置けるように、タイヤを裏返して鉢植えカバーを自作し、カバーの周囲にはディズニーキャラクターの絵などを描いた。

制作を重ねるに連れて、「鉢植えカバーだけではなくて、もっと何かつくれないか」と思案するようになった土屋さんは、一九八八年一月に中日新聞の読者投稿欄で古いタイヤで制作された鶏のオブジェの記事を見たことで一念発起。同じ鶏から制作を開始したが、いまひとつ出来栄えが気に入らなかったため、次々に他の動物も制作するようになった。一年間で完成したのは、象、カモメ、蟹など七種類のオブジェで、どれも鉢植えの花が飾れるように細工を施した。

その後も、蟹の胴体部分にタイヤを丸ごと使用するなど、タイヤの形や特徴をそのまま活かしたオブジェを制作。よく見ると、孔雀の羽の部分には裏面に鉄板を入れて補強するなど、細部にまで工夫がなされている。仕事が終わったあとと休日は、庭に設けた作業場で制作に没頭した。動物図鑑などを見ながらイメージを膨らませ、電動ノコギリやカッターナイフでタイヤを切断、内側の帯鉄をボルトとナットで固定して形をつくっていく。色落ちしないようにサビ止めを塗った上から水性ペンキを五回塗布して仕上げていくという徹底ぶりだ。

主に使用するのは加工しやすいノーマルタイヤで、孔雀は六本、パンダは七本のタイヤを使っている。一つの作品をつくるのに一、二か月は必要で、タイヤ約二十本を使った体長四メートルほどの恐竜をつくった際は、完成までに数か月を要した。あるとき、作品を近くの保育園に寄贈したところ評判となり、他の保育園などからも譲ってほしいとの声が相次いだため、保育園や病院など、これまで五十か所に寄付してきた。

「長女は、『友だち連れてくると恥ずかしいで、つくったらあかん』と言っとったわ。いくら娘から言われても、こっちは趣味やで」

その長女は、一九九五年に癌が原因で二十二歳という若さで他界。亡くなった二年後から、土屋さんは「娘はこの家におったから、天国から娘が見えるように」と、庭に電飾でイルミネーションを飾り始めた。当初は古タイヤのオブジェの周囲に張り巡らせる程度だったが徐々にエスカレートし、現在は家の玄関先や屋根、庭などのあたり一面がイルミネーションで覆われた状態となっている。

さらに、熱烈な中日ドラゴンズのファンということもあり、ドラゴンズが優勝したときは「日本一」というイルミネーションも掲げるなど、応援メッセージを込めたイルミネーションは評判を呼んでいる。よく見ると、中央にある「2019」という年号のイルミネーションなど、毎年つくり変えているものもあるようだ。

「昔はLEDじゃなくて普通の電球やったから、ようけ電気くったで、エアコンなど掛けらんかったで。クリスマスの十日前くらいに三割引くらいになるのを待って、十万円ずつくらい買っとったから、イルミネーションだけで全部で百五十万円くらいは使っとるだで」

雨天時を除いて、毎年十月から二月頃まで、毎晩イルミネーションを点けている。一九九九年には、妻も癌で亡くした。ひとりぼっちとなった土屋さんは、ますます何かをつくることにそのエネルギーを注いでいったのだろう。

土屋さんがつくったタイヤのオブジェの中には、水がたまって腐敗し、処分してしまったものも多い。近年になって電動ドリルで穴を開けることが難しいスチールホイールのタイヤが増えたことや、近隣のゴミ処分場が閉鎖して材料が入手困難になってしまったこともあり、土屋さんはもう新作のオブジェをつくってはいない。

そのかわり、「なんぞしなあかん」とペットボトルを使った風車制作に精を出している。向かいの公園でペットボトルを拾ってきては、倉庫で保管。毎日制作を続け、趣味の温泉地を巡る際は、訪問先に五、六個寄贈しているようだ。

土屋さんは、鉢植えカバーと動物のオブジェだけで、三十年以上をかけて、これまで五百体を超える作品を制作してきた。「同じやるなら、見えるところにやって他の人に楽しんでもらったほうがいいで」と笑うが、自宅を過剰に装飾するということは、別の見方をすれば人目にさらされる危険性をはらんでいるということだ。もしかすると、当初は身内だけでなく周囲から批判を受けることがあったのかも知れない。

でも、誰に何を言われようとも絶対にやめないという思いを持って制作を続けたことで、いまでは地域の名所のひとつになっている。それを続けることができたのは、「きっと誰かが喜んでくれるはずだ」という強い信念があったからだろう。土屋さんのように、決して後ろを振り返ることなく、誰かのために何十年も何かに没頭し続けることが、はたして僕らにはできるのだろうか。

記憶を綴る紙芝居

田中利夫

Toshio Tanaka　一九四一(昭和一六)年生まれ

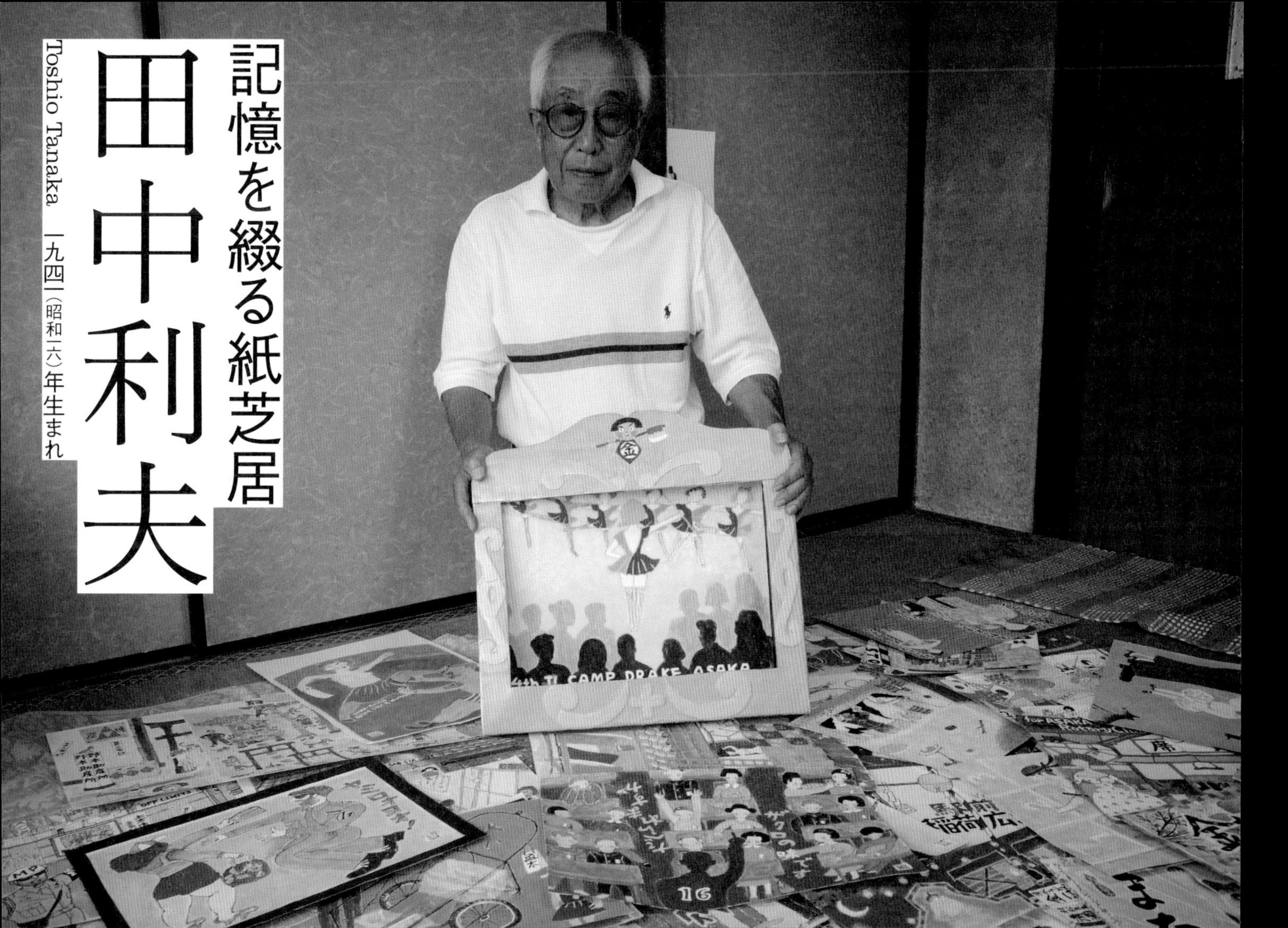

年中青ッ洟のよち坊を
サック風船
2013-9-11

金ちゃんのかみしばい

朝中うら
ススキ
の原っぱ

アメリカ兵
GI Joe
パンパン
と
ぼくン家
2012-11
画・文 たなかとしを

くつの清水

日本贔屓のニールさん

OFF LIMITS

off the job
after hours
P
MP
Come on
Be my friend
MP

埼玉県南部にある朝霞市。東京のベッドタウンとして、駅周辺にはマンションやコンビニ、スーパーなどが立ち並び、住みやすい都市として発展を遂げている。そんな朝霞には、敗戦後から一九八六年に全面返還されるまでの間、「キャンプ・ドレイク」と呼ばれる米軍基地が存在していた。一九五〇年代の朝鮮戦争全盛期には、基地周辺に約七十店のバーやキャバレー、連れ込み宿などが軒を連ね、在日米軍将兵を相手に「パンパン」や「パンパンガール」と呼ばれた売春婦が夜な夜なあふれ返り、朝霞一帯は「埼玉の上海」と呼ばれる歓楽街になっていた。

そうした戦後の混沌とした朝霞の情景を紙芝居に仕立てて講演活動を行っているのが、市内で独居生活を送る田中利夫さんだ。田中さんは、一九四一年に二人きょうだいの長男として生まれた。駅前にあった実家では母親が戦前から貸席業を営んでいたが、次第に米兵や娼婦たちが逢い引きする場所として利用されるようになった。

「朝霞の街は『パンパン』と言われる女の人たちとアメリカ兵の影響か、中学生たちは煙草を吸って『パンパンごっこ』をするという悪いレッテルを貼られていたんです。そしてそれは事実でした。特に僕の家は『貸席』をやってたから、同級生のお母さんから『パンパン屋のガキと遊ぶんじゃないよ』と言われていました。『朝霞の中学を卒業しても、どこの高校も受け入れてくれないんじゃないか』と、僕の父親は危惧していました」

「医者になれ」という父親の勧めで、田中さんは東京の獨協中学・高等学校へ進学。しかし、勉強についていけず挫折してしまう。埼玉と東京の生活環境の違いにも戸惑いがあったようだ。

「東京の子が、みんなお坊ちゃんに見えましたもん。そもそも言葉遣いが違いました。僕らは普段、友だちのことをオメェと言ってたんだけど、東京の子どもたちはキミだったから慣れるまで恥ずかしかったですね」

そう話す田中さんは、中学入学直後に先輩が重量挙げをしている姿を初めて目にし、憧れを抱くようになった。毎日眺めていると、「君も挙げてごらんな」と紛れもない東京の下町言葉をかけられ、挑戦したところ五十キロのバーベルを軽々と持ち上げることができた。その姿を見て、先輩から「なんと坂田金時の再来かい」と驚かれ、「坂田金時」から派生して周囲から「金ちゃん」という愛称で親しまれるようになった。なんとその先輩こそ、落語家・古今亭志ん生の次男、後の三代目古今亭志ん朝だったというから驚きだ。

田中さんが高校三年生になった頃には、せんべい製造卸業から銭湯や米屋、不動産業、金融業などさまざまな職種を手掛けてきた父親の事業が下り坂となり、学費の支払いも滞るようになった。「大学に行くことはできないだろうから」と退学届を出したものの、教師に「高校だけは卒業しておけ」と説得された。

中学三年生のときから同級生とハワイアンバンドを結成していた田中さんは、週末になると大学のダンスパーティに出演し、収入を

得ていた。そうした経験から、同級生に倣って大学へ進学するというような意欲は持てなかったため、デザイナーを目指して、女友だちの姉が通っていた文化服装学院へ入学した。

卒業後は、都内のアパレル会社でデザイナーとして勤務。田中さんの斬新なデザインは、デザインをもとに型紙に起こすパタンナーを困惑させ、試作をつくると田中さんがイメージしていたものと別のものができあがることもあったようだ。「お前のデザインは服にならねぇ、絵を描いているだけだ」とその道数十年のベテランパタンナーから苦言を呈されたことにショックを受け、二年で退職。「だったら自分で服を縫えるようになろう」と、洋裁の技術を求めて文化服装学院へ再入学した。

卒業したあとは、別のアパレル会社へ就職。以前勤めていた会社より待遇は良かったものの、先輩の女性デザイナーたちから執拗なイジメを受け、自らが考えたデザインを横取りされることもあったことから、二年で退職。ちょうど満員電車での通勤生活にも嫌気を感じていたこともあり、三十五歳から自宅で洋裁教室を開講した。体力の衰えや母親の介護の問題もあって二〇一七年で教室を閉じることになったが、約四十年にわたって続けることができた。

そんな半生を歩んできた田中さんが一九五〇年頃の朝霞の様子を記録し始めたのは、高校生の頃からだ。誰に見せるわけでもなく、当時の思い出を文字やイラストでノートに綴ってきた。そのことを知っていた友人が「みんなに見てもらったらどうか」とコピーして配布したところ、二〇〇〇年代に入って市民グループ「朝霞市基地跡地の歴史研究会」から「当時の話を聞かせてほしい」と声をかけられる。その会で話をしているうちに会員として参画するようになり、二〇一三年に会のアドバイザーを務める早稲田大学の佐藤洋一教授から、「金ちゃんの話は面白いけど、いまの時代の人が話を聞いただけで想像できるかわからないから、紙芝居にしたらどうか」と提案されたことで、紙芝居をつくるようになったというわけだ。

最初につくった紙芝居は『アメリカ兵とパンパンとぼくン家』。家に滞在していた娼婦のお姉さんとアメリカ兵に連れて行ってもらった、キャンプ・ドレイク内にあった将校クラブでの食事の様子などを描いた。これまで制作した絵の枚数は約六百枚にのぼる。どれも小学校一年生から六年生までに見聞きした自身の体験を思い出して描いたものだ。

特に僕が興味を持ったのは、一枚一枚に使われている紙の材質や絵のタッチが不揃いなこと。布やカレンダー、包装紙の裏に描いた絵もあるし、広告や毛糸などを貼り付けた絵もある。「近所の子どもたちが絵の具を持ってきてくれることもあるから、画材を買うことはありません」と教えてくれたが、僕から見れば、身近にある素材を活用した豊かな表現力はデザイナーとして田中さんが長年培ってきた技術のたまものであり、それがこの紙芝居を一層魅力的に仕上げているように思う。一枚描くのに丸一日を費やすそうで、独創的な絵を眺めているだけでも、田中さんが考えながら、そして楽しみながら描いていることが想像できる。

「正確な年月などの数字は大事にしていないんです。図鑑なんかを見ちゃうと格好良く描きすぎてしまうから、たとえ間違っていても記憶だけを頼りに描くようにしてますね」

　自らの個人史を掘り起こして描きたいものだけを描いているから、きっと細かな整合性などには関心がないのだろう。一方で、興味関心の強い部分に関しては徹底した描写が見受けられる。例えば、娼婦たちの服装は洋裁師という仕事柄、服の模様や色まで鮮明に描いている。当時の田中少年にとって米兵や娼婦たちは優しいお兄さんお姉さんであり、満たされた日々であったがゆえに、長期記憶としていつまでも頭の中に残っているようだ。

　田中さんが描くのは、教科書には載らない歴史だ。自らの記録として留めておくために綴っていた田中少年が見た朝霞の歴史は、七十二歳から描き始めた紙芝居となって、いま多くの人に伝播している。グラフィックデザイナーの石塚幸治さんは、そうした田中さんの活動に共感したひとりだ。二〇一四年から自主的にウェブサイトを制作し、田中さんの紙芝居を毎週公開している。二〇一七年には、田中さんと一緒に絵本『金ちゃんの少年時代』を出版し、原画展の開催にも尽力した。近年は各地で紙芝居を披露する機会も増えたため、「パンパン」という呼び名を「ハニーさん」に変更するなど、石塚さんの助言をもとにした気配りも見られるようになっている。

よく見ると性交渉を描いた場面の絵は少ないし、直接的な描写の絵には上から紙を貼るなどの工夫が施されている。

田中さんの紙芝居は決まった台本があるわけではなく、一枚の絵について思い出を語っていくというスタイルだ。饒舌に語り続けるその光景を眺めていると、子どもの頃は引っ込み思案だったという姿は、まるで想像できない。石塚さんと初めて会ったときには「ただ生きているだけです」と話していたという田中さんだが、現在は「年とってみんなやることなくて困っているけど、お陰様で僕は毎日楽しいです」と笑う。昨年六月に心筋梗塞で倒れ、現在は心臓にカテーテルを入れながら制作に励む田中さんは、「まだまだ描きたいものはあるから」と制作の手を止めることはない。

誰に見せるわけでもなく自分だけのために綴っていたノートはいつの間にか多くの人の目に触れることになり、田中さんの人生を好転させた。七十歳を超えてから始まる新しい人生なんて想像するだけでワクワクしてしまうし、当人にとっては取るに足らないものの中にこそ、人生を一変させてしまう宝が眠っている可能性だってあるということに気付かされる。

そして、自分で描いた絵と語りたい言葉を気軽に披露できる紙芝居というシステムを手にしたことが、田中さんにとっては何より幸運だった。発表の機会に恵まれたことで、それまで傍観者にしか過ぎなかった田中さんは「演じ手」として人々の輪の中心で脚光を浴びている。インターネットの大海には存在しない「情報」を持った田中さんの話は、これからますます重宝されることだろう。

金ちゃんの紙芝居

シャレとユーモアの理想郷

中條狭槌

Satsuchi Nakajou　一九四〇（昭和一五）年生まれ

AKB

ナニコレ!
珍庭園
名勝
楽賛園
ふれあい
センター
銘酒館
草津温泉
ゆ
人生の楽園

竹 入口 笹 園
アートランド
竹林の風
奥の細道
AKB
足だ 顔だ バストだ
かわりモン
圧巻景観 達観!
珍竹林
人生の楽園

ふれあいセンター 銘酒館
名勝 楽賛園
珍庭園
カフェ

女
ゆ
男
ゆ

走れ!ジジィ
走れエロス!
楽
保母更衣室

古物の光
廃材アート
危険!!不発弾

壇蜜の部屋
アダルト。セクシールーム！

テレビ直売コーナー
湧
見学
自由

左右確認
寺宝展

宝の山桜
園児の楽園

園児
酒・タバコOK
かくせいざい たいま コカイン
駄目ヨ!
アダルト保育園
園児大募集!
男60才以上!
女49才以下!
※男は顔があればOK
※女はキレイであればOK
保母 藤あや子
〃 坂本冬美
〃 伍代夏子
〃 壇蜜
〃 橋本マナミ
ひろ〜いのよ
さあー!車から降りてミーナ!

40
(平成30年2月24日)
歓迎!
櫛野様
御一行さま

HAPPY HALLOWEEN
HAPPY HALLOWEEN
来たー!
(いよいよおいでになった)
群大教育学部
茂木教授
春原准教授
レポーター
櫛野氏(広島県)
平成28年7月14日
シャレ
ギャグ
ジョーク
ブラックユーモア
わかるかなー
ウッシッシ!

北秋田
純米酒
菊水
白龍
白鹿
初春
白雪

群馬県西部にある甘楽郡。近くには工場見学などが楽しめる無料のテーマパーク、「こんにゃくパーク」があり、少し足を延ばせば世界文化遺産に登録された富岡製糸場にも近い。

そんな小さな田舎町に、ひときわ異彩を放つ不思議な場所がある。「アートランド竹林の風」「ナニコレ珍庭園」「ふれあいセンター銘酒館」「名勝楽賛園」など、いくつものサイケデリックな手書き看板が掲げられ、周囲にはたくさんの廃品が並べられたその場所は、見所満載で眺めているだけでも時間を忘れてしまうほどだ。

道路を挟んだ向かいの家には「中條家」と大きな文字で書かれた同様の装飾が施されており、ここが作者の家であることは明らかだ。その住まいを見上げると、二階の窓には「ゆ」の暖簾が掛けてあり、「男」「女」と手書き文字も見える。外には、マネキンの首だけがお湯に浸かっているようなオブジェがある。見れば見るほど異様な外観だ。しばらく眺めていると玄関から初老の男性が出てきたので、「ここ銭湯なんですか」と思わず声を掛けた。男性は鋭い目つきで僕を見つめながら、「そうやって聞かれるのが楽しみであそこに掛けてんのよ。あの暖簾は通販で買った」と教えてくれた。

この人こそ、こうした作品群の生みの親・中條狭槌《なかじょうさつち》さんだ。中條さんは、一九四〇年に甘楽郡小野村後賀（現在の富岡市）で四人きょうだいの末っ子として生まれた。

「俺が二歳のときにお袋が病気で亡くなって育てられないんで、子どもがいない家にひとりだけ預けられて養子になった。正式な養子縁組の手続きは小学校へあがるときだったと思うけど。だから、旧姓は吉田なの」

幼くして両親やきょうだい三人と離れて生活することになった中條さんだが、小さい頃は絵を描くよりも『おもしろブック』『冒険王』などの児童雑誌や小説を読むことに熱中したという。中学校に入ると、文章を書くことが好きになった。そのきっかけは、赤城山に遠足に行った感想文を先生に褒められ、みんなの前で読み上げられたことだ。このときの喜びが原動力になって、それからレポートのような文章をたくさん書くようになった。卒業後は、家の農家を継いで働いた。養蚕業に取り組む小さな農家で、この家の向こう側にあったバラック小屋の二階で蚕《かいこ》を育てていたという。

養蚕は絹の材料となる繭《まゆ》を作る農業で、蚕は高値で取引され、多くの富をもたらしたため「おカイコ様」として大切に育てられてきた。中條さんの家でも、「お蚕が育ってきて、場所取るようになると人間はどっかの片隅に寝て、お蚕様が主役でその家《うち》を占領するわけ」と当時を振り返る。

そのうち生家で庭師をやっていた実父が亡くなり仕事が忙しくなったことで、跡を継いでいた実兄から「手伝ってみねぇか」と誘われ、一九六四年から庭師の仕事を手伝うようになった。以後、十年ほどは養蚕と庭師の仕事を兼務していたが、やがて育ての両親も亡くなってからは庭師の仕事が中心になったそうだ。

「養蚕は随分前にやめた。中国産の安い絹が入ってきて採算的に合わなくなって、みんなやめたわけ。だから、この甘楽・富岡地区で現在も養蚕業を続けてんのは、五軒あるかどうかだね。ただ、いまは富岡製糸場のこともあって、行政で繭代を上積みするような体制が整いつつあるんで、価格面ではある程度いいとは思うけど、どの家も養蚕道具を処分しちゃってるからね」

師匠である実兄と一緒に十三年間働いた後、中條さんは独立。三十六歳のときには知人の紹介で三歳下の奥さんと結婚し、やがて娘を授かった。

聞けば、作品が立ち並ぶ広大な敷地は、もともと畑だった場所を再利用したものだという。それも以前は現在より三メートルも低かったそうだ。ことの始まりは、土木業者がその畑に残土を捨てさせてくれと依頼してきたこと。ところが業者は、八割ほど埋めた時点でどこからかクレームが入り、途中で来なくなってしまった。仕方なく、毎年大型トラックで中條さん自ら土砂を購入し、なんとか平地にしたものの、石ころだらけの土地では作物も育たず、思案を重ねていた。

転機が訪れたのは、十年ほど前のことだ。

「娘が免許を取って車を買うにつき、そこにアルミのカーポートを最初につくったの。しばらく使ってたんだけど、そのあと娘がアパートへ出て使わなくなったんで、それからいろいろ足していったわけ。カーポートは最初、片屋根だけだったんだけど、もうひとつ足して合掌造りにして、あとはプロの大工に頼んだりして周りを囲って、部落の集会や飲み会場に使える部屋をつくった。わが家の来客の応対なんかにも使ってるうちに、どんどん物が増えてって。急に目覚めちゃってね。基本は廃物廃材アートで、あとはシャレとユーモア」

案内された小屋の中へ入ると、たくさんの銘酒を揃えた部屋や、集落の楽しそうな宴会の写真、それに参加票まで貼ってあり、いまにも宴の声が聞こえてきそうな雰囲気だ。奥の「アダルトルーム（セクシー）」という小部屋に入ると、壇蜜のポスターで部屋中が埋め尽くされていた。

「壇蜜は、俺が好きなの。器量が良くて魅力的な女性が好きでね。年上なら藤あや子が大好きだし、グラビアアイドルなら橋本マナミがいい。美人で魅力的な女性は、性格は二の次ですぐ好きになるね」

この小さな部屋で中條さんが悦に入っている姿を想像すると、なんだか僕も笑みが浮かんできた。部屋を出たときに気づいたが、扉

には「壇蜜と密談中」というダジャレまで書いてある。まさに看板に偽りなしだ。

そして、中でも目を引くのが、敷地内に点在する大型遊具などを利用した巨大作品で、さまざまな廃品を組み合わせたそのセンスは、とてもユニークだ。多くは閉園した保育園の下請けをしていた土建屋が解体処分に困り持ってきたものを譲り受けたそう。それにしても、ベンチの上にポットが陳列してあったり、ブランコの上に象さんジョーロが置いてあったりするさまは、まるで高尚なコンセプチュアル・アートにも見えてくる。

「ひと工夫しているのは、とにかく見て面白いようにやってるわけ。だから他人の目はものすごく意識してるね。この辺りは、一本道で迂回路がなくって、みんなここを通るから、近所の人はみんな知ってる。つくり始めは目立たねぇから話題になんねぇんだよ。だけど、最近は平均すると一日に一組くらいは見学者が来るわけ。わざわざ見学者の対応まではしていないけどね」

中條さんによると、昔からアートに興味はあったものの美術館へ行くことなどはなく、すべて独学でつくっていくのだという。雨が降ると庭師の仕事は休みとなるため、そのときに制作していたようだ。

「いまは、庭師の仕事を辞めようと思って十年以上経ってるけどね。

力がなくなって、ハシゴを軽トラに乗せて下ろしたり、現場で立てたりが難儀になって。それに、あと四年経つと男の平均寿命に達するわけ。だから、この家は遠からず空き家になるけど、老後の生き甲斐だから俺の人生に後悔はない。遠くから来た人が感想を言ってくれたり褒めてくれたりすれば、やっぱり嬉しいわけ、だからやって良かった。今後は俺も国民年金生活に入るんであんまり増やせねぇけど、一年前と同じじゃ自分もつまんないし見る人もつまんないから、少しずつ増やしていきたい」

そう呟く中條さんだが、カーポートの費用まで入れると、現在までに六百万円ほどは使っているとのこと。とても誰もが気軽にできるようなことではない。そして、六年ほど前からは自宅の装飾も開始。廃材を持ってくる業者から不用品を安く買い取っては、飾り付けるようになった。自宅の玄関口には数種類の腕時計が並び、その上にはカメラや日本刀まで置いてある。すぐ下には交通安全の表彰状も見えるが、「目覚ましい活躍をしなくても、ある程度の年数をやると日本のあらゆる組織は表彰することが多い。富岡交通安全協会の秋畑支部長を六年くらいしたわけ。それであるわけだ」と謙遜する。

他の部屋も屏風を切り離して引き戸にしたり、戸棚に藤あや子をコラージュしたりと、自宅も中條さんのやりたいように改造が施されている。特徴的なのは、廃棄されたものをひとつも無駄にすることなく使用していることだ。

「女房は呆れてるみたいで、俺のやってることは完全無視。夫婦だから、呆れてるのがわかるわけ。ただ、女房は人間ができてるから、やめてとは言わない。亭主の好きなことを女房にけなされると、亭主としてはこれだけ腹の立つことはない。夫婦関係も悪くなるしね」

よく考えると、奥さんからも黙認されているし、彼の表現に反対する人は周囲には誰もいない。これは本当にすごいことだ。時に小さな共同体の中では、こうした表現は異質なものとして阻害されることが多い。ところが、ここは年に三度ほど集落の人たちが飲み会で活用している。だから、誰でも自由に立ち入ることができるように、どこにも施錠はされていない。「盗難の心配はないのか」と聞くと、「ずっと昔に一度だけ小型冷蔵庫が盗難にあったくらいだ」という。ここには、異物を排除する目はないのだ。実際に集落の行事などで使われているという有益性や、「昔から人を楽しませることが好きだった」という中條さんの人柄が、この場所を人々のアジールにしているのだろう。そんな聖域の中で、壁に描かれたダジャレに笑みを浮かべながら、僕もしばらく佇んでみることにしよう。

一九三九年生まれ
一戸清一

一九三六年生まれ
磯野健一

一九三五年生まれ
正角稔

一九三三年生まれ
林田嶺一

一九三〇年生まれ
今井豊一

一九三〇

一九三〇年代
生まれの超老

Born in The '30s

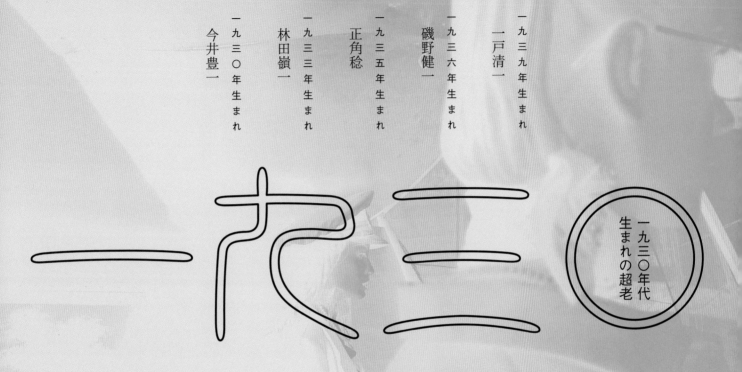

一九三〇年代の主なできごと

一九三九年　ドイツ、ポーランド進撃を開始。第二次世界大戦勃発

一九三八年　国家総動員法公布

一九三七年　盧溝橋事件勃発。日中戦争の発端となる

一九三六年　二・二六事件発生。急進的な陸軍青年将校らが約一四〇〇名の兵を率いて首相官邸を襲撃

一九三五年　ドイツ、国際連盟を脱退

一九三四年　室戸台風が上陸し、京阪神地方を中心に多大な被害をもたらす

一九三三年　日本、国際連盟脱退を通告
ヒトラーがドイツの首相に任命され、ナチ党による一党独裁体制を敷く

一九三二年　五・一五事件発生。犬養毅首相が海軍青年将校らに暗殺される

一九三一年　満州事変勃発

一九三〇年　ロンドン海軍軍縮条約締結

みちのくガリバーランド

一戸清一

Seiichi Ichinohe 一九三九(昭和一四)年生まれ

立入禁止

よく見ると親子になっている！

立入
止

Fanta

「人は死ねばお山さ行ぐ」。古くからそう言い伝えられ、信仰の対象となってきた日本三大霊場のひとつ、恐山。岩場からは鼻をつくような硫黄泉が噴出し、まさに地獄のような光景が広がっているが、奥に進めば極楽浜と呼ばれる美しいカルデラ湖の神秘的な景色がこころを清めてくれるかのようだ。

恐山から青森県むつ市内へ抜ける曲がりくねった山道沿いに、今回の目的地はある。車を止めて広大な敷地を眺めると、ログハウスには大きなカブトムシやトンボのオブジェが留まっているし、よく見ると辺り一面にムササビやバッタなど、巨大な生き物のオブジェが点在している。その規格外の大きさは、まるで『ガリバー旅行記』

の第二篇で描かれた巨人の国、ブロブディンナグ国に迷い込んでしまったかのようだ。

「ここは四十歳の頃に購入してな。一万三千坪くらいあるかなぁ」

そう声をかけて来たのが、こうした作品群の作者、一戸清一《いちのへせいいち》さんだ。むつ市内に暮らす一戸さんは、毎日のようにこの別荘までやって来て、誰に見せるわけでもなく作品制作を続けている。「立入禁止」の大きな手書き看板が掲げられていることからもわかるとおり、一戸さんはこれまであらゆる取材を断ってきたが、今回初めてお話を聞かせていただけることになった。

一九三九年に神奈川県横浜市で四人きょうだいの長男として生まれた一戸さんは、現在七十九歳。父親は横浜市内で酒屋を経営していたが、戦争の足音が聞こえてくると海軍に出兵。戦後になって父親は、生まれ故郷である津軽半島中南部に位置する青森県五所川原市へ家族を連れて転居した。一戸さんが四歳か五歳の頃のことだ。

「親父は国鉄で働いたり、北海道で網元の帳場（漁業関係の経理）をやったりしとったけど、俺が十歳のときに自分の家内の兄貴を頼って、家族を連れて青森県むつ市へ永住したのよ。結局、体を悪くして四十九歳で他界したけどな」

そう話す一戸さんは、小さい頃はものづくりにほとんど興味を示すことはなかった。「田舎に来て貧乏してさぁ、遊び道具もほとんど無かったなぁ。かけっこしてたくらいだ」と当時を振り返る。中学卒業後は、「親が困ってるから、少しでも助けになるように床屋でもやれよ」という住職だった叔父の勧めで、理容科のある高校へ進学。一年で技術を習得したあとは、三年ほどインターンとして市内の床屋に住み込みで修業を続けた。

そして十九歳で、むつ市内に「一戸理容所」を独立開業する。二十五歳で二歳年下の妻、ツヤさんと結婚し二人の子どもを授かった。ツヤさんも通信教育で理容師免許を取得し、夫婦で床屋を切り盛りするようになったが、一戸さんが五十五歳のとき、東京で十年ほど修業をしていた長男が帰郷してきたため、店名を「一戸理容店」に変更し、長男に経営を一任した。

「本当は（理容師の仕事が）好きでなかったから、早めに隠居したのよ」と笑う一戸さんにとって、室内にこもる理容師の仕事は嫌で堪らなかったそうだ。山が好きだった一戸さんは、四十歳で購入したこの土地を活用し､五十歳のときに人を雇ってドライブイン「やまびこ」の経営を始めた。現在も残っているログハウスでは、一階が食堂、二階を従業員専用の宿舎とし、園内につくられた三百メートルの道路にはゴーカートを走らせ、子どもたちが遊ぶことができるようにアスレチック場も整備した。だから園内には、いまでも作業場や倉庫として再利用されているバンガローが点在しているわけだ。

バブル景気とも重なってドライブインは繁盛し、最盛期にはスタッフを十人も雇用していたという。その結果、十年で借金を完済することができたため、一戸さんが六十歳のときにドライブインを閉業した。

それからつくりだしたのが、こうした作品群というわけだ。はじめは既存のキャラクターを模倣してつくっていたが、「キャラクターってのは、誰でもつくれっから」と次第に動物や生き物の制作に移行。材料となるブイや廃材の多くは、近くの陸奥湾に流れ着いたものを活用した。壊れたものもあるが、これまで制作した作品は約五十点にのぼる。

僕がこれまで取材を続ける中で、漁業の盛んな土地などに行くと漂流したブイを使って制作されたキャラクター人形を目にする機会は多かった。しかし、動物や生き物など、ここまで再現性の高い作品を目にしたことはない。何よりパンダの親子など、どこかストーリー性のある作品が多いのも特徴だ。

「一匹よりも親子でつくったほうがユーモアもあるしさ。俺自身が愛情に飢えてんだべ」と笑う。ログハウスの入り口に設置された蝶を捕食する蜘蛛のオブジェに目をやると、頭と胴はブイ、脚は水道用ビニルパイプ、目玉はビー玉や自転車のベルなど、さまざまな廃材が使われている。図鑑を購入し、その造形を徹底的に研究しているようだが、もちろん設計図などは一切書かないし、すべてが独学なのだ。

「冬場は雪が多いから、出してるもんを一か月ほどかけて全部仕舞って、雪かきしてな。その合間につくってんだ。しかも朝から晩つくってるわけでねぇから、一個つくるのに十五日くらいかかるな。夏の間は、周りの草を整備したり、花やきのこ、なめこ、椎茸も栽培したりしているから年中暇なしだわ。いまは駐車場管理の仕事もしてるしな」

奥さんの話によれば、一戸さんはドライブインを終えて一か月もしないうちに別の場所に土地を購入し、駐車場経営を始めたそうだ。普通であれば脚立にのぼるのも怖くなってしまうような年齢だが、一戸さんは梯子をかけて七メートルはあろうかというログハウスの屋根のペンキ塗りもひとりでこなしていく。老いてもなお旺盛なその行動力には脱帽してしまう。現在は、月曜と木曜は奥さんもやってきて夫婦で一緒に過ごしているが、ときどき見るに見かねて、「ちょっと違うんでない」と奥さんが色塗りを手伝うこともあるそうだ。「つくるのは好きなんだけど、色音痴だから色を塗るのがどうも苦手でな」と笑みをこぼす。

一戸さんに園内の作品を一通り案内してもらったが、茂みの中だったり木の上だったりと、思わず驚いてしまうような場所に設置された作品が多く、それらを探し出すだけでも童心に帰ったような楽しさがある。ただ、以前に来訪者が勝手に畑に入ってカ

ボチャや園内の親子のテントウムシのオブジェを盗みそうになった経験から、この場所を無料で開放する気はないそうだ。「無料開放すると道徳心が守られねぇからな。だからって、お金をとってやるのは抵抗があるんだよなぁ」と頭を悩ませる。

それにしても、人通りの多い街中で、他者から賞賛を受けながら作品制作をしているのであれば、その動機は理解できる。しかし、いくら有名観光地の恐山が近くにあるとはいえ、ここは人里離れた山の中だ。ましてや立入禁止の看板まで掲げていることを考えれば、一戸さんはなぜ、これほどまでに巨大な作品制作に余生をかけて挑んでいるのだろうか。

「年とったら何か趣味を持たねば駄目だと思うんだ。俺がやってんのは、ボケ防止や自己満足のためだな。趣味は自分の部屋でもできるかも知れねぇんだけど、大きいほうがつくりやすいし、見栄えがいいんだなぁ。何より、人がやってないことのほうが面白いべ。自分で納得してぇからさ」

そう謙遜する一戸さんだが、ひょっとすると、彼が長年従事していた床屋の仕事にも関係しているのではないかと僕は分析する。全国各地で取材を続けていると、理美容師の表現者が実に多い。それは「手先が器用だから」という安直な理由ではなく、その特質は、頭に描いたものを形にするという空間認知能力の高さにある。常人では具現化することを諦めてしまうレベルの手業であっても、一戸さんは簡単に再現することができてしまう。きっと、そういう人のことを「芸術家」と呼ぶのだろう。

ハリボテの「城」

磯野健一

Kenichi Isono 一九三六（昭和一一）年生まれ

遠くからでも目立つ「小阪城」

襖をあけると千畳敷の大広間が広がる
「だまし絵」風の部屋

カレンダーが貼り付けられた天井

小ぶりになって復活した「小阪城」

妻の化粧品店も磯野さんの手によるもの

新大阪駅から大阪難波駅経由で約三十分。河内小阪駅のほど近くに「イソノ理容」という看板を掲げる理容室がある。見上げると、屋上には手づくりの天守閣がそびえ立っており、住宅街に突然現れるこの異様な景観が街の名所となっている。ここは大阪城ならぬ「小阪城」としてウィキペディアに掲載されるほど、有名な場所として知られている。作者は、この理容店を営む磯野健一さんだ。

一九三六年生まれの磯野さんは、父親が一九三二年に創業した店舗を引き継ぎ、八十五歳になるいまも店に立ち続けている。若い頃は、くしを使わずに刈り上げ部分を直接鋏の刃で整える技術である直鋏《じかばさみ》の達人、松岡達夫氏のもとで修業をしたこともあるが、型にはまった理容業界のあり方に嫌気が差していたようだ。

四十歳の頃、父親から店を引き継いだことを機に、当時としては洒落た設計だった店舗を使いやすいよう自分なりに改装。近隣には戦前に建てられた民家が多く、当時は民家が次々と建て替えられて

脳内景観を襖に描いた部屋

いく時期だった。磯野さんはそうした作業現場に足を運んでは、廃材などを調達。自分の店を改装する資材として活用していった。

「子どもの頃は物がなくて、欲しいもんは全部自分でつくっとったんです。だからカネを出さずに物を再建するいう考えがあったんやね」

やがて作業を続けていくうちに、建築資材を保管するため、自宅の屋根上に物置を自作した。数年経つと物置は十個以上に増え、殺風景だったため、周囲をブリキやベニヤの板で飾って櫓《やぐら》風にアレンジしてみたところ、しっくりきたようだ。近江・浅井家の家老だった磯野員昌の末裔に当たるという磯野さんは、奈良が近いこともあって若い頃から寺社巡りが好きでよく足を運んでいたが、それは信仰心ではなく研究のためだったと語る。

「仏像でも、どないして目玉の水晶を入れよったのか、そんなんをずっと見てるわけよ。特に建築の構造に興味があって、城巡りもようしとった」

たくさんの櫓が並び城郭風になったが、磯野さんの頭に浮かんでいたのは、「天守閣」をつくることだった。仕事の合間に屋根裏に上っては作業を繰り返し、三層の天守閣が完成した。

「せっかくつくったのに、家の前の道路から見たらシャチホコしか見えへんかった。これじゃ意味あらへんがな。せやから、切れっ端の垂木を間に挟みながらジャッキアップして、二層を足して五層の天守閣にしたんや」

天守閣の屋根にはトタンを張り付け、壁はブリキを塗装して白壁にした。安価な素材を駆使した天守閣の総工費はわずか五万円だ。磯野さんが資材の回収を始めてから、実に十数年の歳月が流れていた。

そして、二条城を見て以来、書院造に興味を持つようになった磯野さんは、外観だけでなく自宅内部も書院風に改造するようになる。ベニヤ板を取り付けると千畳敷の大広間が広がるだまし絵風の部屋をつくったり、一坪ほどの庭の岩に水色のペンキを塗って、滝の流れを表現したりもした。さらに四季をテーマにした隠し部屋のようなスペースが至るところにあり、「もしも自宅の城を俯瞰で見渡したら」という脳内景観を襖に描いた部屋まである。まるで忍者屋敷のようなその構造は、訪問するたびに迷ってしまう。極めつけは、豊臣秀吉の「黄金の茶室」をまねて、金色の折り紙三百枚を使用して六畳ほどの屋根裏部屋につくった「黄金の折り紙の茶室」だ。制作にあたり、磯野さんは設計図も書かなければ、どこかで技術を習った経験もない。日用品や廃材を利用してたったひとりで制作を続け、城の意匠を再現し続けている。四十坪ほどの民家を、いかにお金をかけず、大きく見せることができるかが、磯野さんの制作テーマになっているのだ。

そんな名所に悲劇が訪れたのは、二〇一八年九月のこと。二十五年ぶりに非常に強い勢力で日本に上陸した台風二十一号は近畿地方を中心に甚大な被害を出したが、小阪城もシンボルの天守閣が飛んでいくという事態に見舞われた。

「近所の人が『城が飛んだで』と言うてくれはって、なんぼ探してもあらおまへん。そしたら、他所の家の階段の踊り場にそのままスポッとはまってた。孫に手伝ってもらって全部バラバラにしたんや」

飛んでいった天守閣部分の雨漏りを防ぐためにブルーシートを被せていたが、次第に再建を望む声が多く寄せられるようになった。NHK‐BSのバラエティ番組から「小阪城を再建しましょう」と提案を受けるも、「また迷惑かけるとあかんから、もうつくりまへん」と固辞。代案として、地元有志の手で二日間を掛けて近所のビルの壁に小阪城のイラストが描かれ、一件落着したかに見えた。

「飛んでいった部分を台風に備えて固定しよう思うたけど、四十五年くらい前につくったもんで、釘を刺したら抜けるんですわ。この

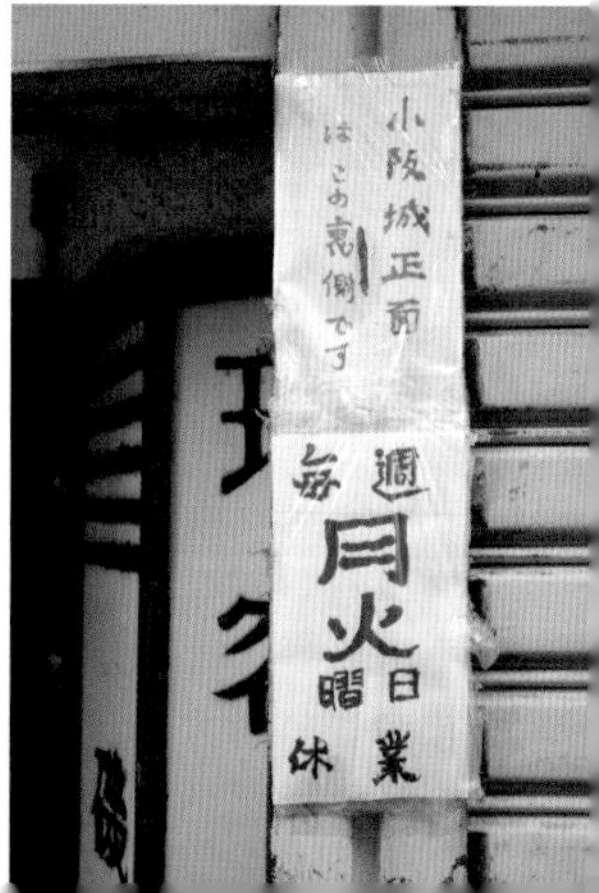

ままの形で屋根作ると不細工になるでしょ。息子は『もう取ってまえ』って言いよるけど、近所の人は、『どうしまんねん』って言わはるし。それやったら、方《かた》を付けないかんなぁ思うて、一層だけ継ぎ足したんです」

二〇一九年九月に少し小ぶりになって再建された小阪城だが、磯野さんの制作意欲が衰えることはない。近作は、一階の茶の間だった部屋の天井を格天井《ごうてんじょう》風に改良し、「絵は描くとじゃまくさいから」と天井画の代わりに百四十枚のカレンダーを切り抜いて貼り付けた。

「僕が死んだとたんに、自分の体もお城も消えると思うてる。僕がつくったもんは、僕が生きてる間に形があればええわけ。僕がおらんようになったとき、消えてしもうても、その時代は過ぎたんやから。子どもの時代には、また子どものもんが出てきたらええんや、それが文化いうもんや。あと、人の脳裏に残ったらそれでええわけ」

いまや全国に理容室は約十二万店、美容室に至っては約二十四万店もある。店に通う顧客の求める髪型は多種多様となり、理美容師は職人のような正確さだけではなく、芸術家のような創造力や感性も求められるようになってきた。

横から見ると薄っぺらい

考えてみると、髪型をつくることと何らかの造形物を創造することは、どちらも立体的な形を想像しながらつくっていく作業だ。異なるのは、短時間で仕上げることが要求される理美容師の仕事に対して、表現に向き合う時間は無限にあること。それぞれの理美容師が自分だけの「城」である店舗を利用して、表現と対峙する姿は、既存の理容室・美容室のあり方に対抗しようとする力強い自己主張の表れなのかも知れない。

憧れに囲まれた暮らし

正角稔

Minoru Shoukaku　一九三五（昭和一〇）年生まれ

たのしいわじま
ガンバル
市民!!
税金さげてよ〜

お食事処
祇園
やぶ支店
22-3307
ろうきん

水が流れると作動する仕掛けになっている

手動で動かすことができる
宇宙船やジェット機

能登半島中央部に位置し、朝市や漆塗りなどの観光資源で栄える石川県輪島市。連続テレビ小説『まれ』の舞台としても有名で、歴史ある街並みが多くの観光客を呼び込んでいる。ところが、そうした伝統文化とは真逆の建物が、市中心部を通る幹線道路沿いの敷地内に存在している。新幹線をモチーフにした派手な外観が目を引く住宅で、近隣からは「新幹線の家」として知られている。

作者は、この家に住む正角稔《しょうかくみのる》さんだ。正角さんは、五人きょうだいの三番目として輪島市で生まれた。子どもの頃からものづくりの好きな少年で、「冬になるとソリやスキー板を自作したり、四輪車の車を木でつくって坂道を駆け下りたりしとった」と当時を振り返る。

中学卒業後は、半年ほどの修業を経て、製材用ノコギリなどの刃を研ぐ目立ての仕事を開始。三十五歳で独立し、職人として各地の製材所を回って仕事を請け負っていった。目立て職人として働く一方で、六十歳頃になると、知人から山の木を伐採したり運搬したりする仕事も頼まれるようになった。「あっちからもこっちからも来てくれって言われてなぁ。人の倍働いたから、えろう儲けたんや」と当時を振り返る。

多忙な暮らしの中でも、続けてきたのが趣味のものづくりだ。六十八歳のときには、自宅の庭に大掛かりな雨水を循環させる装置を一年掛けて制作。水道パイプや金属を組み合わせ、雨が降ると鹿威しや水琴窟が作動する仕掛けだ。この独創的なオブジェは評判を呼び、園児が遠足でやってきたり、口コミで観光客らが見物に訪れた

りすることもあった。他にもロケットや戦車、軍艦などの模型を制作したが、自宅の老朽化に加え、次第に庭が手狭になったため現在の場所への引越しを決意。そのとき脳裏に浮かんだのが、長年の夢だった新幹線をモチーフにした家をつくることだった。

正角さんが新幹線への憧れを抱いたのは、三十三歳のとき。町内会の旅行で初めて乗車したその車内で、窓から眺める景色が目まぐるしく変化していくスピード感に心踊った。以来、新幹線は正角さんにとって「最新・最先端」の象徴になったそうだ。二〇一四年四月から図書館などで資料を集め、一か月掛けて家の図面を作成。翌月から建設業者に手伝ってもらいながら家づくりを進めた。

新幹線の先頭車両をモチーフにした住宅は、先頭形状は一本ずつ曲げた木を接着剤とビスで固定し、白地に赤青黄色のラインを塗装して流線型を強調。通りに面した部屋には、トラックのフロントガラス二枚を加工して運転席まで設けた。運転席は誰でも自由に見学することができ、運転手として制服を着たマネキンまで設置されている。運転席に座りハンドルを握ると音楽が流れ、運転を疑似体験できる仕掛けになっている。運転席の隣は寝室で、最後部は茶の間になっており、二階建てにすると新幹線ではなくなるため平屋にしているというから、正角さんのこだわり具合には脱帽してしまう。払下げ品として購入した連結器や遮断機など本物も一緒に展示されており、雰囲気もバッチリだ。

正角さんは、七十歳で目立ての仕事を引退してからも「暇やけん、人の真似できんようなものをやろう」と、ますます精力的に作品制作を続けた。旧宅から持ってきたものもあるが、ほとんどが新しくつくり直したものばかり。「時代の先端を行くもん、一番速いもんに憧れがあった」と、全長七メートルのロケットや全長三メートルのF‐15戦闘機などを制作。これらはすべて正角さんの「最新・最先端」としての憧れの存在だ。ポンプを組み合わせ、大半の模型が可動する仕掛けになっており、糸で吊るした二機の模型は交差したり上下したりして訪れた人を楽しませている。よく見ると、戦闘機やロケットには「MS」「SW」などの英語が書かれているが、これらは自分や孫のイニシャルだというから、思わず笑みがこぼれてしまう。

「九十パーセントは頭ん中で考えとる」と語る正角さんだが、こうした作品群をつくるに当たって、まず書籍やミニチュアの模型などでサイズを測定し、拡大したものをダンボールで作成。それに基づいて丸太をチェーンソーで裁断し、塩化ビニールや金具を組み合わせていく。一つの作品をつくるだけでも相当な労力が予想されるが、「掛かった歳月はまったく計算せん。そんなん考えとったら、いいもんはできん」と断言する。まるで空間全体が遊園地のような色鮮やかな配色になっているのも、「一緒のことをやったら人の真似したことになる。自分の独自のもんを選ばな駄目や。友だちがやってきて、こーせいあーせい言うけど、絶対言うこと聞かん。自分で考えて自分でやるからこそ、自分の作品や」と教えてくれた。

見られることを是として独自の道を突き進むそのスタイルは、ともすると、これまで多くの人から制止や非難を受けてきたことだろう。けれど、決して周囲に流されず自分が決めたことをやり続けてきた生き様は、SNSでの反応に一喜一憂を続ける僕らにとって、もっとも学ぶべき姿なのかもしれない。

正角さんの膨大な作品群が僕の背中をぐいぐい押してくる。「次も戦闘機をつくろうと思うとる。『これ以上つくったら車入らへん』って遊びに来た孫からは怒られとるけどな、わははは」と豪快な笑い声が僕の耳にはいつまでも響き続けている。

林田嶺一

Reiichi Hayashida　一九三三（昭和八）年生まれ

「死んだふり」の流儀

引き揚げ時に留萌駅で見た女性。
戦争の喪失感からトランプ占いをしていたという

焦土と化した広島の光景

《レストラン天津飯店》

《レストラン天津飯店》(部分)

窓越しに見た光景のため文字が反転している

爆撃機が飛んで町に煙が上がる様子を描いた半立体的な絵画。特徴的なのは、作者がショールームや店のガラス窓越しに、外で行われている戦争の様子を眺めているということだ。それらの絵を初めて目にしたのは、二〇〇六年に滋賀県近江八幡市にあるボーダレス・アートミュージアムNO-MAで開催された展覧会「快走老人録〜老ヒテマスマス過激ニナル〜」の会場だった。昭和新山の生成過程を克明に記録し続けた三松正夫や「横浜の帽子おじさん」として一躍有名になった宮間英次郎など、「超老人」たちの表現が並ぶ中で、満州から日本へ引き揚げるまでの幼児体験とその記憶をもとに描いた作品群は、ひときわポップで異彩を放っていた。

作者の林田嶺一《はやしだれいいち》さんは、二〇〇一年にキリンアートアワードで優秀賞を受賞したことで一躍注目を集め、二〇〇〇年代後半からは前述の展覧会などがきっかけとなり、特にアール・ブリュットの分野における企画展で多く紹介されるようになった人物だ。

北海道江別市に暮らす林田さんは、一九三三年生まれで今年八十六歳になる。旧満州国で三人きょうだいの長男として生まれた。父親は京都大学を卒業後、朝日新聞の記者を経て南満洲鉄道の調査部で勤務、母親は英語が堪能という、不自由のない上流階級の家庭で育った。父親の仕事の影響で一家は満洲から大連、ハルビン、上海、青島へと移住し、第二次世界大戦が終わるまでの十二年間をアジア各国で過ごした。一九四三年に青島で父親が他界したあとは、京城（現ソウル）に生活の拠点を移した。終戦後の四五年九月に最初の引揚船で福岡の八幡港へ帰ってきたあと、広島や大阪、京都など日本海側を列車で北上し、母の故郷である北海道増毛町で生活を始めた。

林田さんと原田ミドーさん

一家を支えた母親は、その語学力を活かして札幌で北海道庁の職員となり、進駐軍の通訳を務めた。小さい頃から絵を描くことが好きだった林田さんは、北海道留萌高等学校で美術部に所属して、本格的に絵を描き始めた。卒業後は戦没者遺児ということで優遇され、二十一歳から北海道庁に勤務。翌年には、全道美術協会が主催する団体公募展「第一〇回全道展」へ初出品を果たす。

六七年に開館した北海道立三岸好太郎美術館の創設に携わってい たが、七〇年代後半に同館の学芸員から「風景画や静物画ではなく、自分の生い立ちを描いたらどうか」と勧められたことで、林田さんは現在まで続くスタイルの戦争画を描くようになったというわけだ。「それまで林田さんに親身になってくれる人はいなかったから、その学芸員の言葉に素直に従ったんだと思う」と、林田さんの側でサポートを行う彫刻家・原田ミドーさんは教えてくれた。

「事務官を数年やってたんだけど、あいつは使い物になんねえぞってことで、道立図書館の事務次官として左遷されたわけ」と林田さんは言葉を添える。江別市の北海道立図書館にある窓のない地下の印刷室で、約三十年にわたり退職まで勤め上げた。「あの馬鹿のところに行ったら徳はないよ」と周囲から嘲笑されるほど、仕事のできない人物としてレッテルを貼られてしまった林田さんだが、「だけど俺、痛くも痒くもなかったの。というのは、アートの本が腐るほどありますからね。印刷の仕事が終わったら死んだふりして、本を見て勉強してたの」と語る。仕事が終わってから、一九三七年から一九四一年頃までの自分の記憶が正しいかどうかを館内にある歴史書と摺り合せながら、丹念に答え合わせをしていたようだ。

林田さんは口癖のように「死んだふり」という言葉を多用する。両親やきょうだいともに一族の誰もが優秀な林田家の中で、林田さんは常に劣等感やストレスを抱えて生活していたのではないだろうか。そうした感情を回避するための手段こそが、林田さんが言うところの「死んだふり」だった。社会で虐げられることに対して、心

のバランスをとるために林田さんが必死でしがみついたのが、絵を描き続けることにほかならなかった。

独学で絵を描いてきた林田さんにとって、所属していた全道美術協会は決して居心地が良いものではなかった。師事していた国松登や山下脩馬といった一部の会員からは激励を受けたものの、林田さんの表現は異端とみなされ、展覧会場にある階段の踊り場に展示されるなど、長年不遇な扱いを受けていたようだ。それでも、林田さんは絵を描くことをやめなかった。発表の場といえば、年に一度の「全道展」と、時おり声がかかるグループ展だけ。

六十六歳となった九九年には、江別市にある大麻公民館で初個展を開催。そのときに撮影していた映像を二〇〇一年のキリンアートアワードに応募したところ、優秀賞を受賞した。ちょうどその頃、林田さんと親交を深めた原田さんは、当時のことを「林田さんだけが世界規模で扱われていくことに対して、地元の人たちは煙たがり、林田さんの周りにいた人は、みんないなくなった」と振り返る。林田さんは、いつまで経っても正当な評価を得られないことに憤慨し、二〇〇五年に全道美術協会を退会。代わりに心を寄せていたのは、五十一歳のときに入会した関西の前衛芸術家団体AU（Art Unidentified）だった。嶋本昭三を始め、著名な現代美術家たちの間で林田さんの表現は受け入れられ、『林田、お前はいいぞ』とみんなが褒めてくれるようになったわけ」と笑みをこぼす。

そんな林田さんは、現在も自宅二階にあるアトリエで精力的な制作を続けている。若い頃から描いてきた油彩画を見せていただくと、シュルレアリスムの影響を受け、裸婦の中にエゾジカが見え隠れするだまし絵のような作品もあった（P250）。

「俺は、体質的にポップ・アートが大好きなの。当時の上海は、アヘン戦争でヨーロッパからのポップが集まっていたもんだから、感覚的に混ぜ合わせたの。身体を導入するのが大好きな男なんだよね」

林田さんの言う「身体を導入する」とは、上空を飛ぶ少女や足が生えた飛行機など、戦争兵器に少女や子どもたちの手足をつけて擬人化した表現のことだ。戦争で殺戮兵器を操るのは成人男性であり、女性や子どもたちは一方的に巻き込まれていく戦争被害者となっていることを訴えている。

そもそも林田さんは、一九三七年に上海で家族と食堂で食事をしていたとき、第二次上海事変に遭遇している。幼いがために状況を理解できなかった林田さんにとって、窓から眺める戦禍の状況はデ

林田さんのアトリエ

ィズニーランドのような遊び場に見えたそうだ。中国がアヘン戦争でイギリスに敗北し、南京条約によって開港した上海租界では、ヨーロッパから多くの文化が流れ込み、林田さんはそこで異文化が混在して生まれたポップ・アートを体感することになった。そして、戦時でもハイレベルな生活を送っていた林田さんにとって、夢のような大陸での生活と、引き揚げで母親の実家に戻るまでに目にした日本の惨状とのギャップは凄まじいものだったことだろう。そうした幼少期の強烈な記憶とそのときに感じた素直な感情とが交差し、アッサンブラージュとなって独自の表現を生み出しているというわけだ。

近年では、引き揚げ体験で見た焦土と化した日本の姿を数多く描いている。絵の中で風景とともに描かれているのは、縄文時代の土偶だ。引き揚げの際に乗った列車で、食糧難の時代に農家のおばさんが大きなオニギリをひとりで食べていたという少年期の思い出を手繰り寄せ、そこに女性や生産神の象徴でもある土偶の姿を重ね合わせる。

一方、引き揚げの途中で立ち寄った京都では、多くの人命が失われる中で戦火を免れた寺社仏閣を目にし、戦争なんて馬鹿げていると子どもも心に憤慨した。女性や子どもが犠牲となり、歴史的遺産だけが残されるといった状況に、ポップ・アートの力を借りて「身体を導入する」ことで、戦争が意図的に操作されていることに対して、林田さんなりに風刺を展開し、反戦を訴え続けている。

「普通だったら、八十歳過ぎたらアートなんて描かないよね、俺は本当に馬鹿たれなんだわ、おかしいんだよね」と戯《おど》ける林田さんは、今日も黙々と絵を描き続けている。いつまでも死んだふりを続けている林田さんの真価に、世間はいったいいつ気づくことができるのだろうか。

（二〇二二［令和四］年没）

目一杯の風を浴びて

今井豊一

Toyokazu Imai

一九三〇（昭和五）年生まれ

20ℓガソリン
Tank
F-52

「またやってきた」
取材を続けていくと、自然とそんな馴染みの駅ができる。僕にとっては、東大阪市の河内小阪駅もそのひとつ。この駅から徒歩数分のところにあるのが、廃材を利用して建てられた城郭風建築物「小阪城」だ。展覧会で紹介したこともあることから、作者の「イソノ理容」店主・磯野健一さん（P225）のもとには何度も通った。

その小阪城から駅へ向かう、ある日の帰り道。いつもと違う道を通ってみたら、住宅街から何やらパタパタと大きな音が聞こえてきた。音の鳴る路地を曲がると、家の塀が風車で囲まれた奇妙な邸宅がある。ドラゴンや木こり、そしてミッキーマウスなど色鮮やかなキャラクターたちの風車が風を受けて勢いよく回っていた音だった。勇気を出してインターホンを押すと、ドイツの模型メーカー「メルクリン」による機関車模型が陳列された玄関に、ひとりの小柄な男性が現れた。その人が案内してくれた部屋に入ると、天井からたくさんの模型飛行機が吊り下がっている。

「二十一歳の頃から、趣味で飛行機の模型をつくっとった。ラジコンは十年くらい前からや。黄色のんは、材料から自分でつくって。スイスで自分が乗った飛行機やねん。プロペラのついとるんが、好きやねんな」

そう語るのは、作者の今井豊一《いまい とよかず》さん。一九三〇年生まれの八十六歳だ。大阪市中央区船場で四人きょうだいの長男として生まれた今井さんは、小学生の頃から木を削って船をつくるなど、工作の得意な少年だった。

「船つくって、ただ水面走らせるんは面白ないやろ。戦争中やったから、潜水艦にして銭湯行って潜らすねん。浮くか、沈むかっちゅう程度の浮力になるように羽つけてな。あるとき、銭湯でおっさんが『おい、こっちまで来れるか』っちゅうてな、『よっしゃ、やったるわ』って、やってん。湯の中を潜って行ってしばらくしたら、おっさんが『痛ぁ』って飛び上がりよんねん。金玉の毛にスクリューが巻きついてな（笑）。あの当時の銭湯は男湯と女湯がつながってたから、『お前ら、女湯に向けて行かすなよ、ケッタイなところ刺さったら怒られるぞ』って言われたわ」

戦時中ということもあり、今井さんの周りでは、潜水艦に続いて竹ひごでグライダーをつくることが流行。今井さんは誰よりも早くつくることができて、その技術は学校で一番だった。「設計図通りでは面白うないから」と、自分なりにアレンジを加えてつくっていたそうだ。幸い年齢が幼かったため徴兵はなかったものの、小学校五年生のときから剣道や柔道に加え、軍隊訓練のようなことを経験させられるなど、今井少年の周りにも軍国教育の波は強まっていった。

「小学校で飛行機や潜水艦つくってるやろ。勉強さしたら、理数科と図工は得意中の得意や。でも、歴史や地理とかは覚えんの苦手やねん。そやから先生が『お前は商売人になるんやろうけども、お前のその性格からしたら工業学校へ行け』って」

先生の言葉通り工業科を志望してみたものの、工業学校といえば、ガラの悪い人たちの集まりというイメージがあった。当初は乗り気ではなかったが、調べているうちに日本で唯一の飛行機を専門にする工業学校である大阪府立航空高等工業学校（現在の大阪府立布施工科高等学校）が大阪市内にあることがわかり、すぐに志望した。

航空高等工業学校一年のときには、戦争で父親も臨時的に工場へ働きに行かされるなど、戦争の雲行きも怪しくなってくる。同年六月には「大阪は空襲されるかもわからへん」という父親の一言で、大阪の船場から現在の河内小阪へ引っ越した。

「戦争中は食うのに精一杯で、勉強なんか全然できひんかった。中学二年の二学期から、学徒動員で堺にある久保田鉄工所へ働きに行かされてた。普通の工員さんと同じ勤務で、朝八時に出勤して終わるのは夕方五時や。遠いから、朝は六時前の電車に乗らなあかん、帰ってきたら夜の八時や。寒うてしゃあないから、中学二年の三学期に少しの間だけ、堺にある親戚の家に下宿させてもらっとったけどな」

次第に国中に敗戦ムードが漂う中、一九四五年三月一三日の大阪大空襲で、大阪中心部は壊滅状態に。堺の工場まで電車で通うことができず、何本か乗り継いでやっと工場まで到着する毎日だった。それでも、先生からは「遅刻だ」と叩かれ、上級生からも通学途中に目をつけられることがあったという。

「もう嫌になって『三年生になったら学校へ帰らせてくれ。そやなかったら一年間学校休まして』って教師に文句言ったんやわ。そしたら教師は『お前、そんなこと言うてサボる気やろ』って言うから頭きて、『ほんなら、明日工場休んで学校行って、校長に言いますわ』って言うたらな、教師は顔色変えよった。『三年生になったら工場でドラム缶の口金の仕事があるから、堺には行かずに学校でできるようにするから、辛抱してくれ』と言われて、頑張れた」

三年生になると、学校は空襲で焼けていたため、青空教室のように各地で授業を受ける日々。そして八月の敗戦後には、GHQの指導により、航空高等学校は大阪府立布施工業学校に改名されてしまう。

卒業後に就職先を探すが、復員兵を優先して就職させるため、就職難の時代だった。親戚に頼んで、なんとか福助足袋株式会社がつくったミシン工場に就職。アメリカ製のシンガーミシンを模した国産ミシンをつくるため、分解したシンガーミシンの部品の寸法を測ることが主な仕事だった。

「『お前、工業学校の機械科出て

るんなら、いっぺんミシンの部品を測ってみい』って言われて測ったら、『めちゃくちゃようできてる』って褒められて、次の日から係長の助手になったわ。見習い期間を飛び越えて異例の昇格や」

一年ほど働いた職場だったが、「よう考えたら、この会社はコピーばかりであかんわ」と見切りをつけて二十歳で退職。そのあと、「これからの時代は洋服や」という父親の一言で、洋品雑貨の企業に就職を果たす。ところが配達の仕事で市内をまわっているとき、取引先から「売店を出すので手伝ってほしい」とスカウトを受け、また一年ほどで転職してしまった。今井さん自身も、ただ配達するよりも働きがいがあるほうを選んだようだ。一年半ほど働いたものの、次第にレナウンやグンゼ、ワコールといった大手企業が参入してくるようになり、「これじゃ商売にならへん」と、二年ほどでここも辞めてしまった。

「親父は『着物関係はもう先がないんで、新しい仕事を身につけさそう』思うて、あちこち修業にやらしよってんけどな。行ったとこが全部そんなんやろ。『しゃあない、うちの仕事でも手伝うか』言うて、親父の仕事を手伝ったんや。親父の戦前の仕事は着物関係で、帯締めなんかを仕入れてきては北陸や九州へ売っててん。毎月、出稼ぎに行っとったわ」

父親と二人三脚となった今井さんの仕事は、帯締めの産地である三重県の伊賀上野に出かけ、織りあがった紐を持ち帰り、家に帰って綺麗に加工すること。「手先は器用やったから、こんなんボロのチョンや。親父より綺麗にできたで」と笑って語る。それを大阪の船場や京都の西陣へ売りに歩いた。そんな今井さんは、二十八歳のときにお見合い結婚、二人の子どもを授かった。なんと相手は、船場に住んでいた頃の近所の幼馴染だとか。

「よう売れとったけど、昭和三七年頃に『茶羽織』っていう簡単に

引っ掛ける羽織が流行ったんや。それをボタンで留める構造が東京で流行っとったから、それを真似して大阪で売ったら、よう売れたわ。そしたら東京から『特許侵害や』って文句が出た。そんなアホなことあるか、こっちも工業科出て特許のことはわかっとる。先に特許取ったもん勝ちや。東京のもんと裁判になったけど、東京のやつと喧嘩すんねやったら、京都のやつも引きずり込んだれ思うて、京都の着物関係の社長二人に応援してもろうた。こっちも特許取っとったから、裁判は大勝利でボロのチョンや。東京の女社長が法廷でワンワン泣きよった」

父親は裁判中に他界したものの、裁判の勝利で他社からの妨害もなくなり、今井さんの品は飛ぶように売れた。その儲けたお金で隣の家の土地を購入。大阪万博のときには、合わせて百坪となった土地に家を新築した。そして、「こんだけ広かったら、毎年維持費も馬鹿にならんやろ。お金払うの馬鹿くさいから、駐車場にしたわ」と、広大な土地の一角は、十二台分を貸ガレージとして運営。さすが大阪人、今井さんは生まれついての商売人なんだろう。

ところが、七〇年代のオイルショックを契機とした不況で着物の売り上げは激減。それまで百貨店のワンフロアを占めていた呉服売り場も、次々撤退して行ったそうだ。当然、今井さんのお店の売り上げも年々減少し、昭和の終わりとともに閉店した。

そして五十七歳のとき、「仕事辞めて暇だったから」と、今井さんは突然あの風車の制作を始める。最初につくったのは鳥の形をした風見鶏の風車で、近所の園芸店に飾られていたのを参考にした。園芸店で写真を撮って帰り、分析して図面に起こした。回転する羽根の部分は、ビールの空き缶を加工。心棒は近所の鉄工所から譲り受け、木の部分は「ホームセンターに売っとる木ではあかん」と、粗大ごみに出されていた机の脚や引き出しの部分を再利用して、電動の糸鋸や卓上旋盤などでカットした。だから、制作に費やす経費は塗装代程度だという。

出来上がると子どもたちから「ええなぁ、ほしいほしい」と大好評で、つくっては子どもにプレゼントしていたそう。当初は一台に三週間ほどかかっていたが、現在は一週間で制作。乾かす時間も考慮して、一度に五台ほどつくるのだとか。そして子どもたちだけでなく、近所の人たちにもプレゼントするようになり、設置場所に合わせて大きさやキャラクターも工夫していった。

「台風のときは外れるように、門のとこは被せてあるだけや。近所の人にあげたら、よう盗まれるみたいでな。ほしけりゃ、うちに来たらええねんやけどな。つくりすぎて、風のきつい日はやかましいほど回りよるで。風に乗って舞うもんが好きやねや」

今井さんの制作は、まだまだ進行中だ。これまでの作品数は数百にのぼるが、まだまだつくりたいものがあるという。今井さんにとってプロペラが回転する風車の制作は、大きさは違えど、少年時代からの夢だった「自分だけの飛行機」をつくっているようなものなのだろう。そう考えると、いつまでも大空を飛び回ろうとしている今井さんの姿に、僕は憧れさえ抱いてしまう。

帰り際に「何個か好きなん持って帰りや」と、たくさんの作品が雑多に保管された倉庫で、惜しげもなく作品をダンボールに詰めてくれた。スーツケースを引っ張りながら、ダンボールを抱えて帰ろうとする僕の背中に、今井さんは少年のような笑顔でこう告げる。

「もらい手を探しとんねん。あんた、今度は車で来なあかんで」

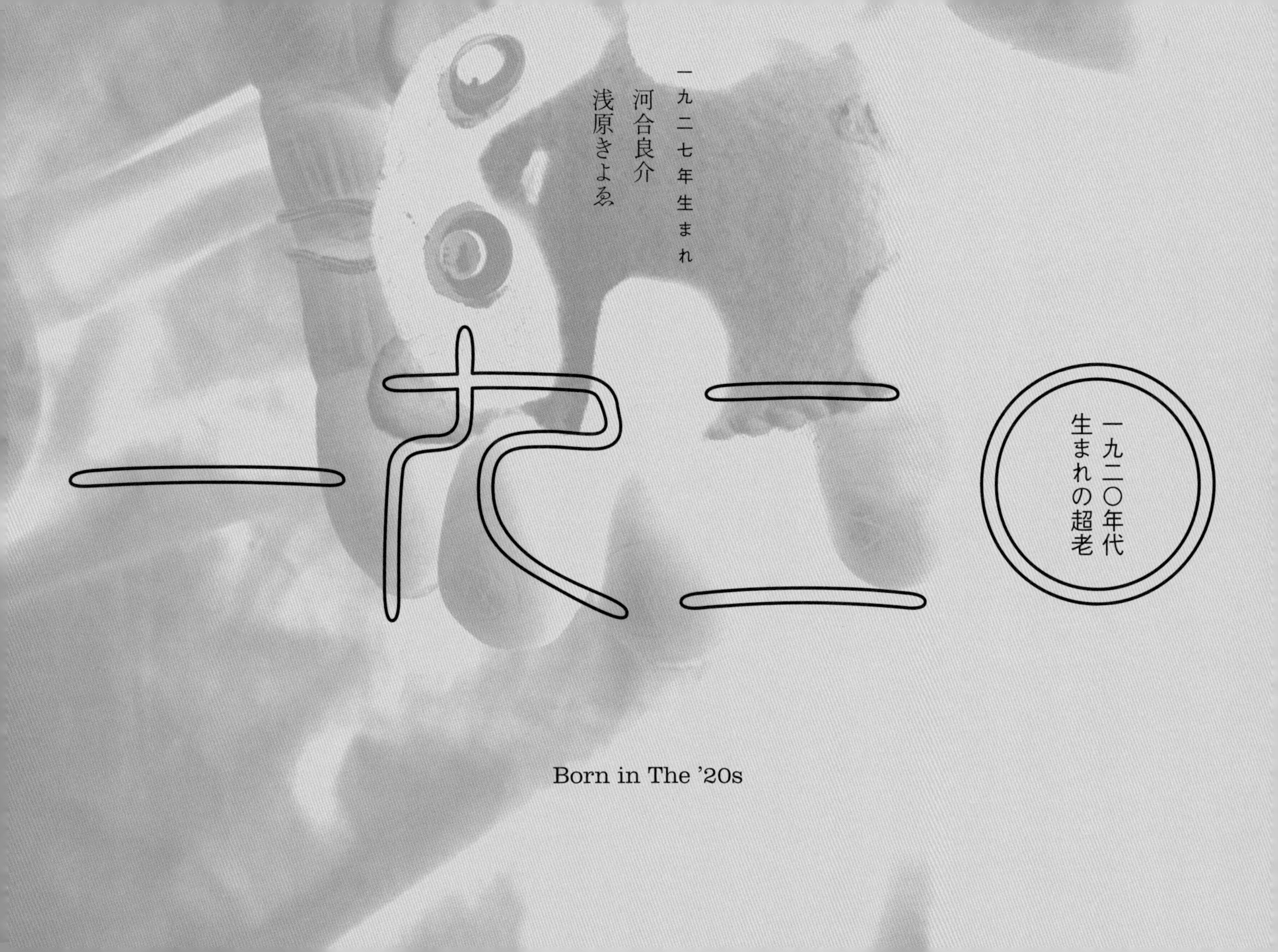

一九二〇

一九二〇年代生まれの超老

一九二七年生まれ

河合良介

浅原きよゑ

Born in The '20s

一九二〇年代の主なできごと

一九二九年　世界大恐慌
一九二八年　日本初の男子普通選挙が行われる
一九二七年　昭和金融恐慌
一九二六年　大正天皇崩御。「昭和」に改元
一九二五年　普通選挙法公布。二十五歳以上のすべての男子に選挙権が与えられる
一九二四年　裕仁親王（のちの昭和天皇）ご成婚
一九二三年　関東大震災発生
一九二二年　全国水平社設立。日本初の人権宣言「水平社宣言」が宣言される
一九二一年　原敬首相が刺殺される
一九二〇年　日本で株価が大暴落し、戦後恐慌が起こる
国際連盟設立、日本も加盟する

肉体に宿る美の発見者

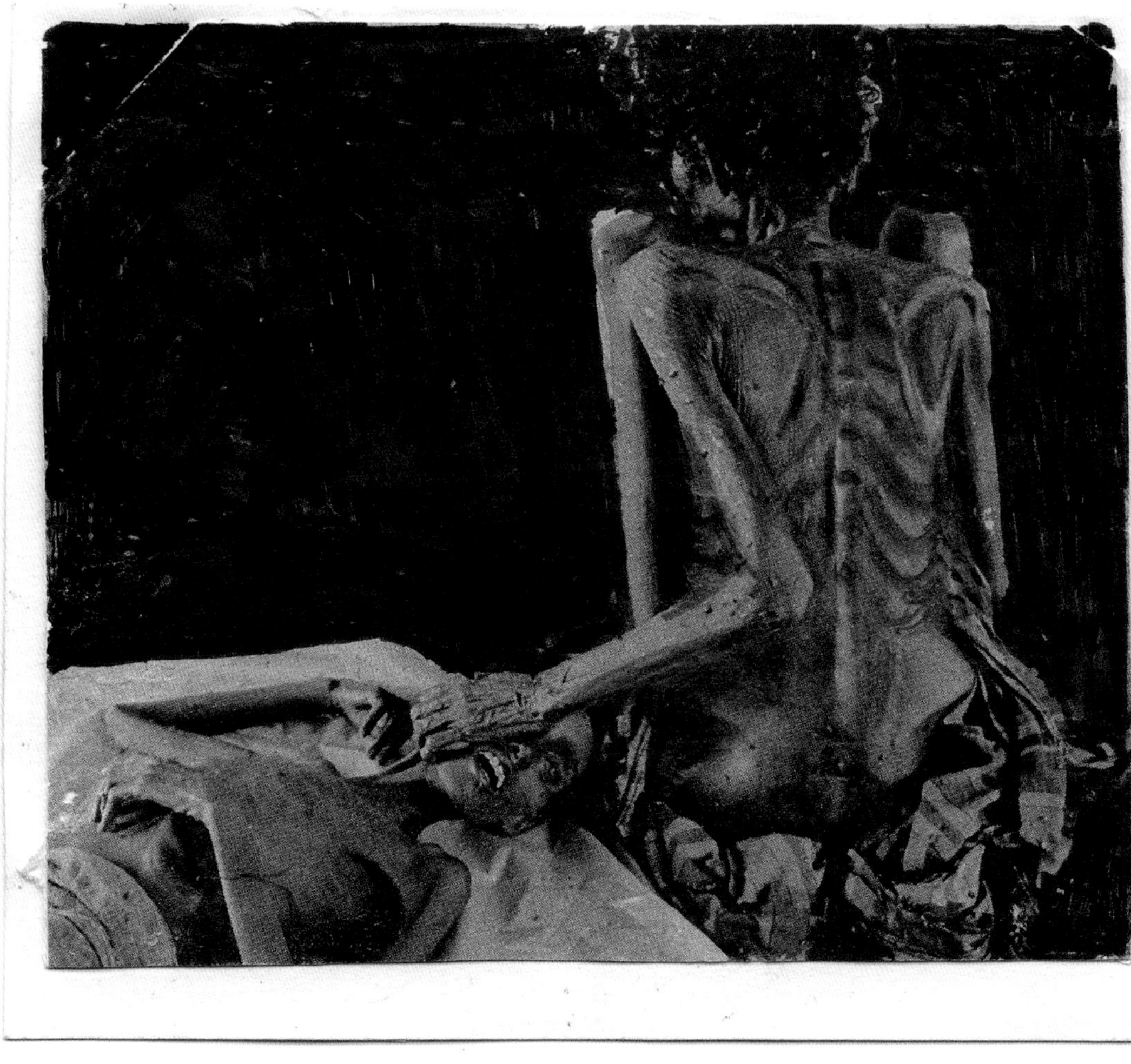

河合良介

Ryosuke Kawai　一九二七（昭和二）年生まれ

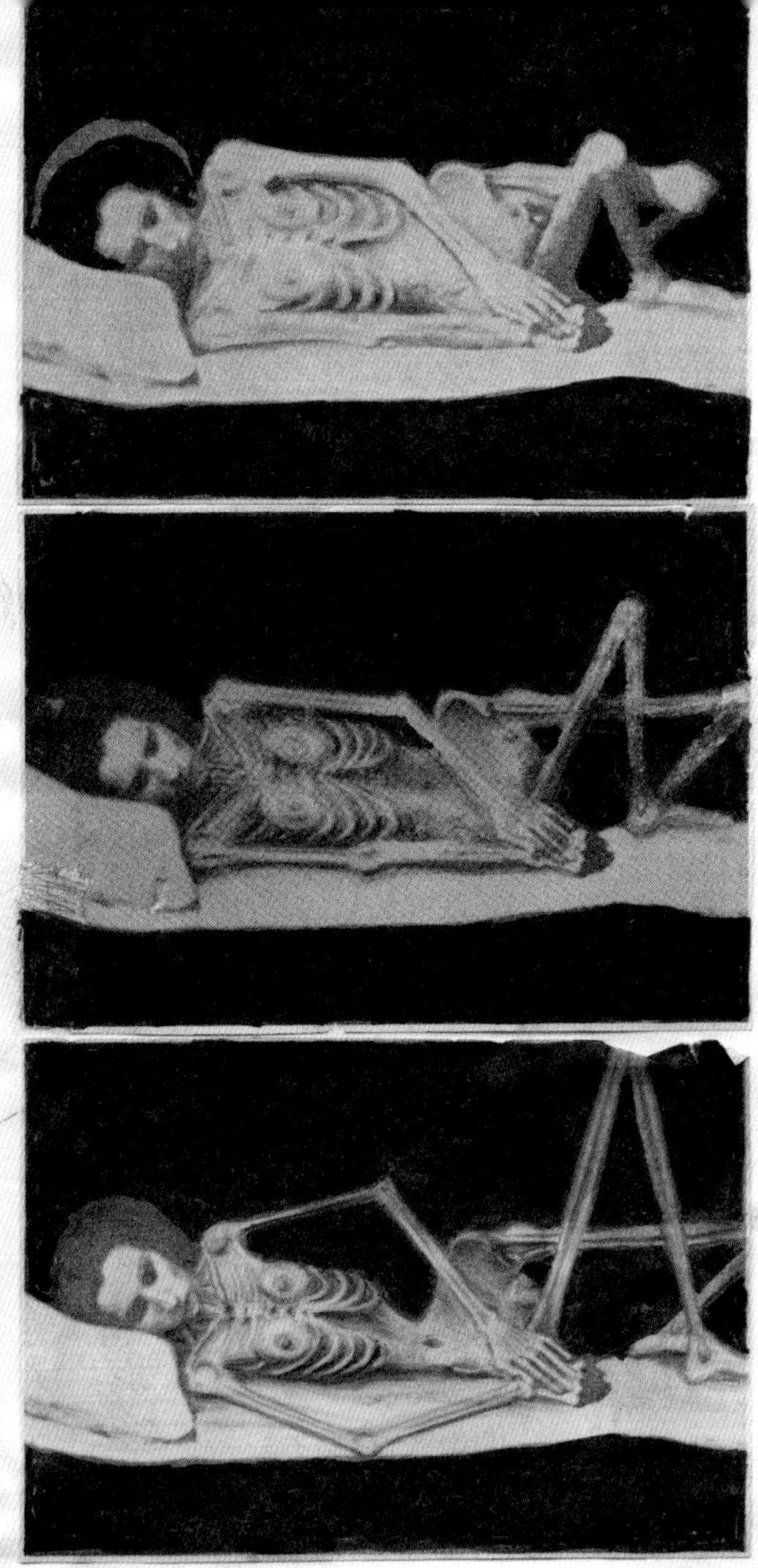

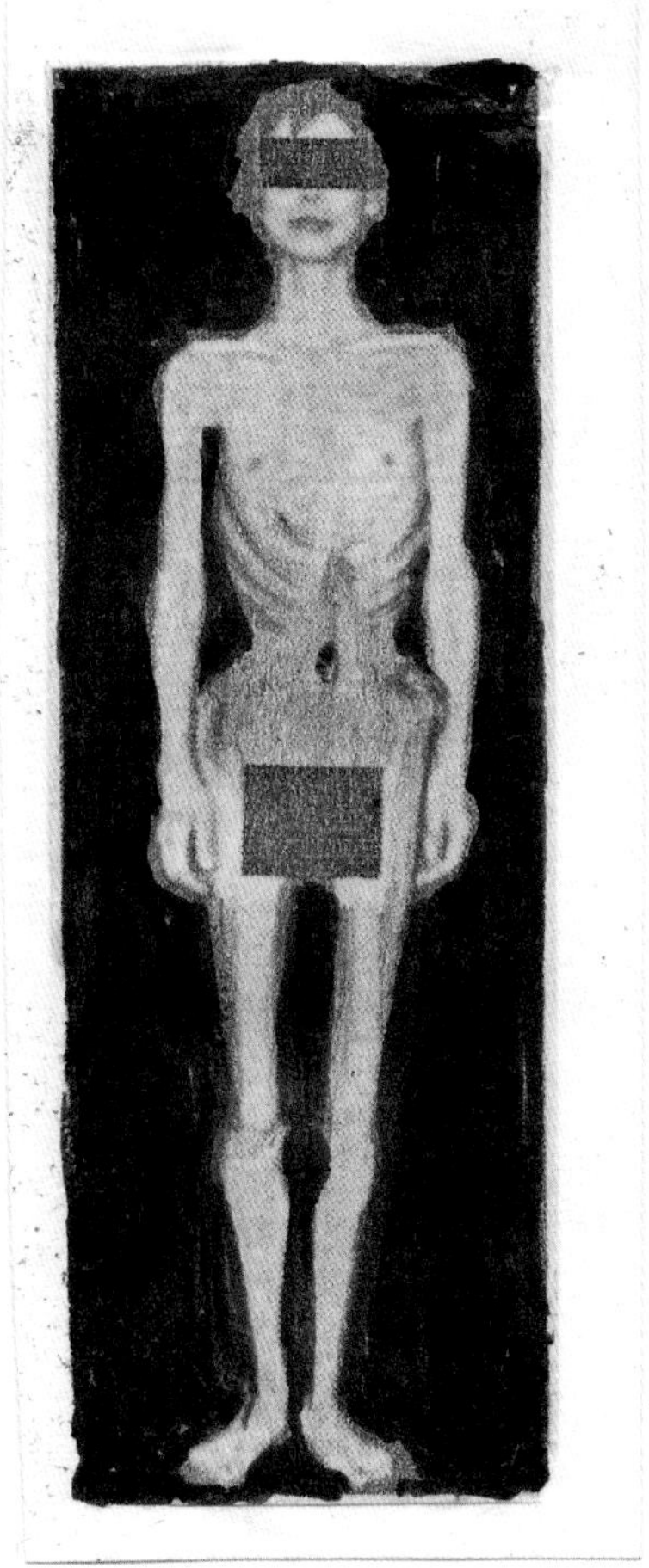

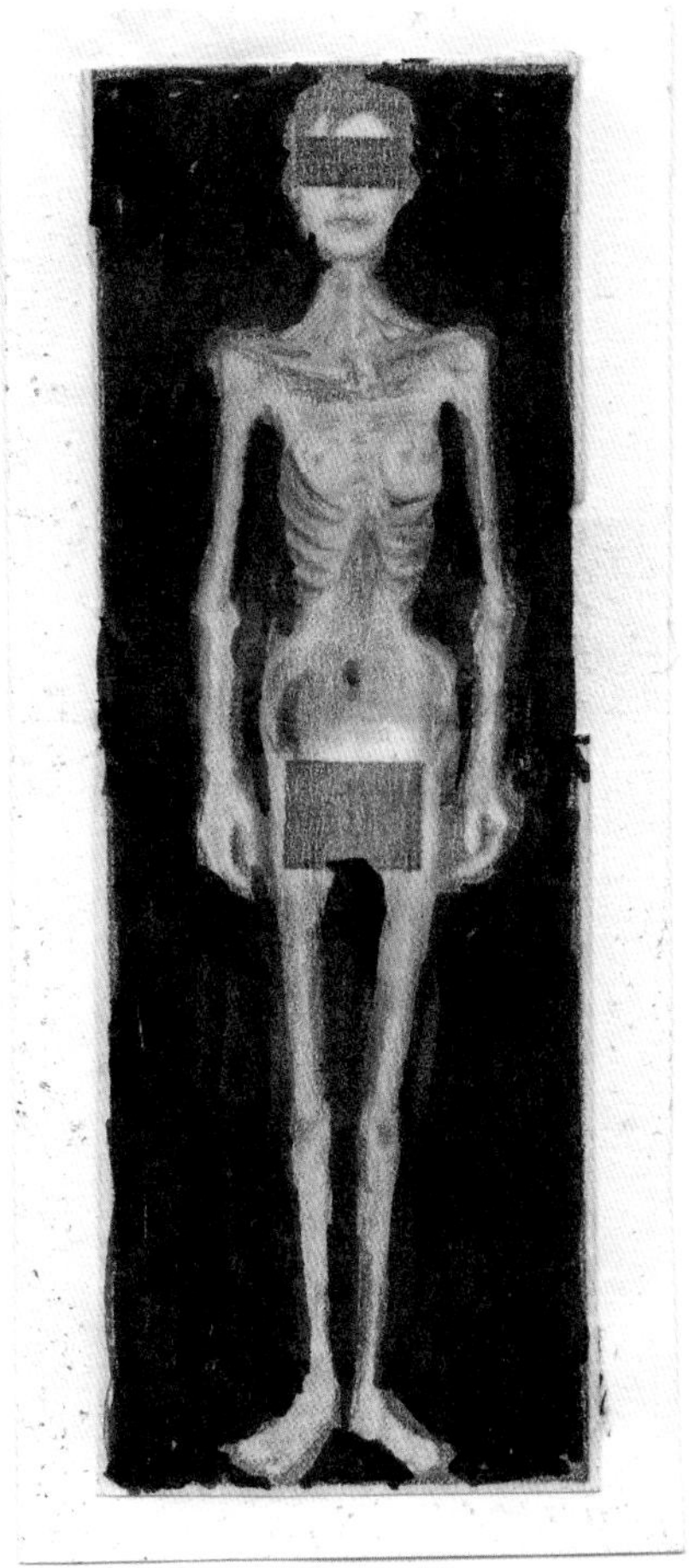

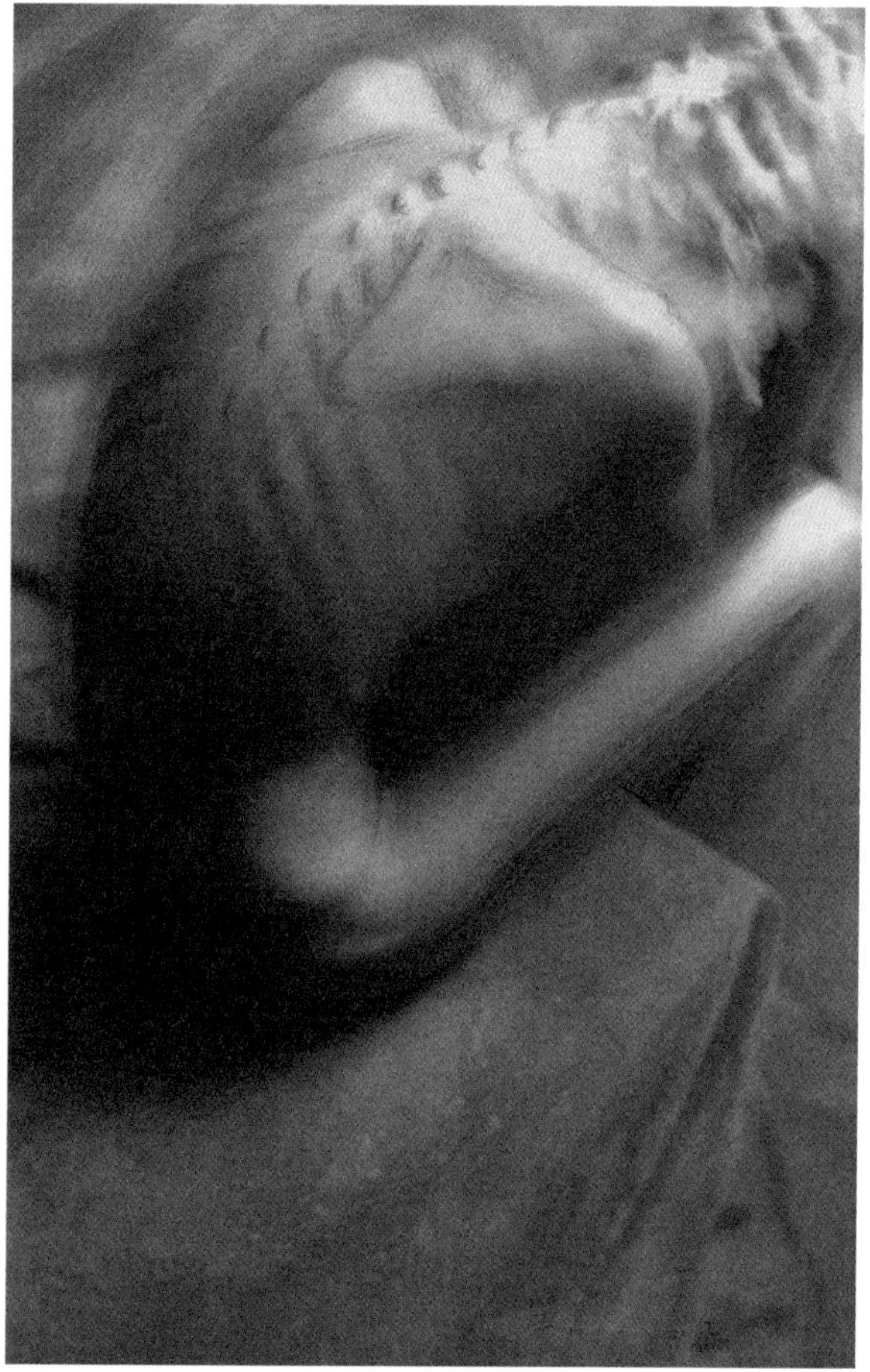

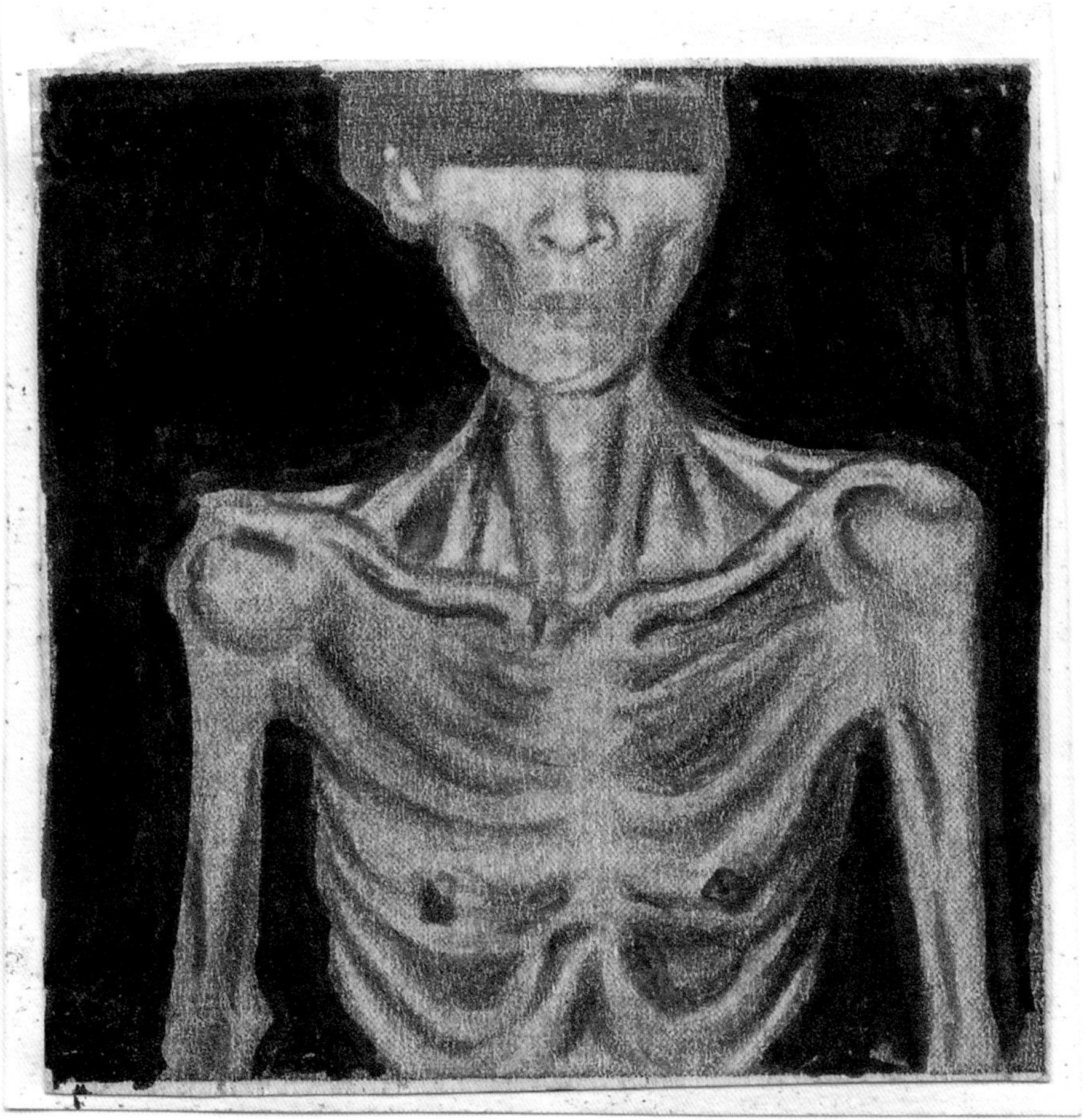

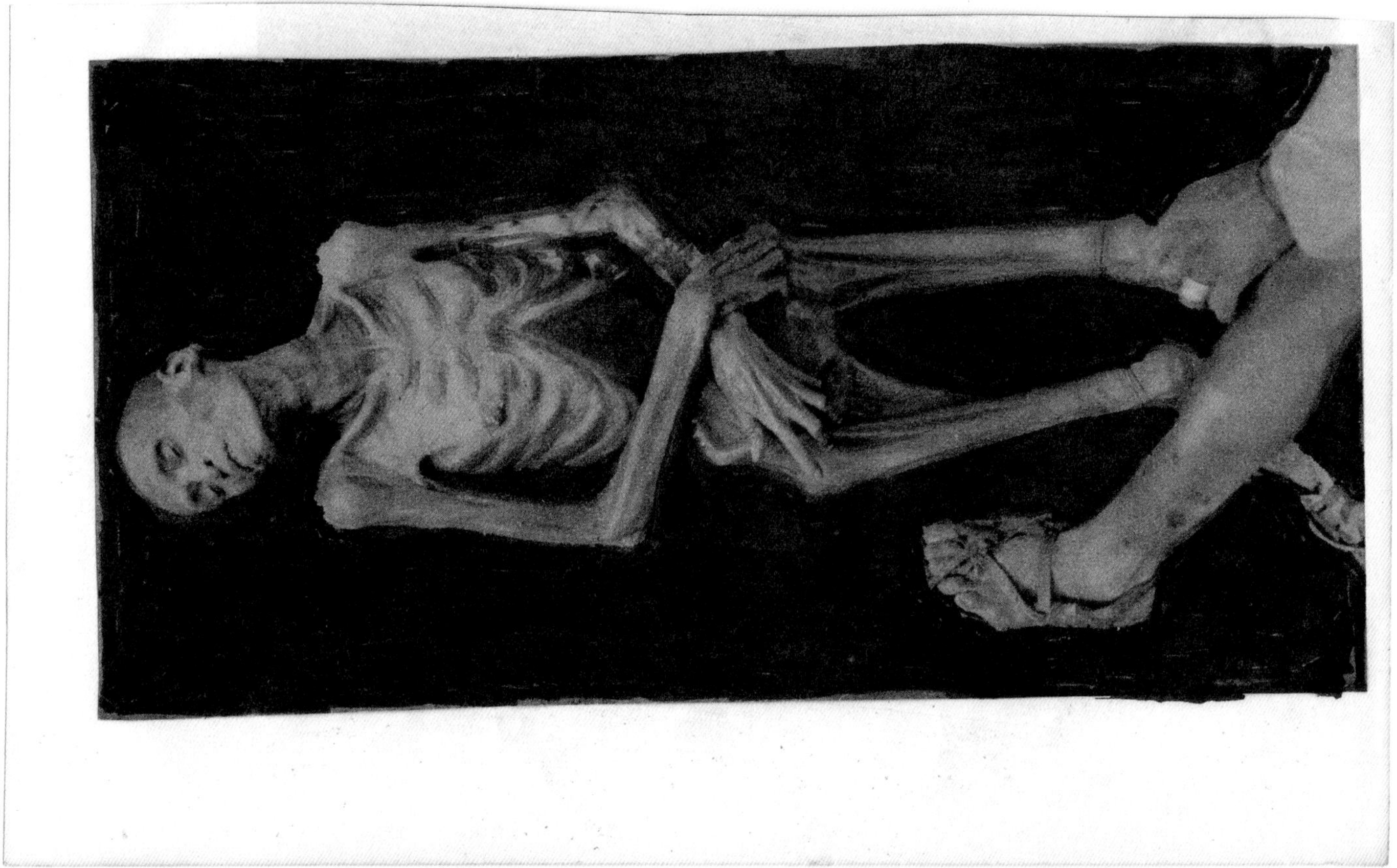

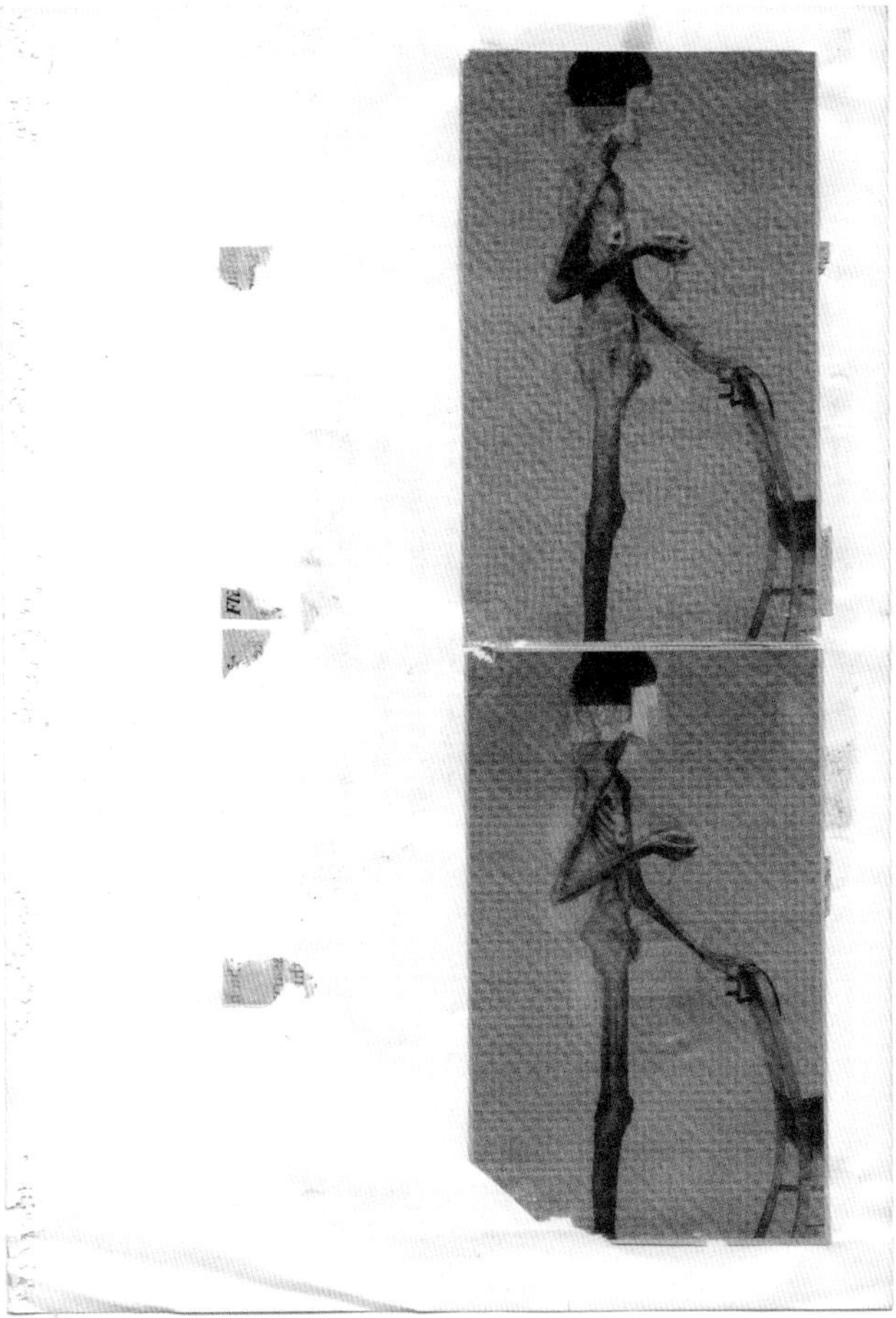

ヌードグラビアの上から鉛筆で肋骨などを描き込むことで、極限まで痩せた状態に見せた写真。中には背景をマジックで塗り込み、鉛筆で骨格を強調することで即身仏のようになった写真もある。これは会社勤めをしていた河合良介さんが、誰に見せることもなく、密かに行っていた表現だ。死後、娘の塙興子《はなわきょうこ》さんがＳＮＳで発表したことで大きな話題を集めた。

東京都練馬区にある閑静な住宅の一角に、河合さんが暮らしていた邸宅がある。現在は塙さんが一人暮らしをするこの家は、木製の家具や調度品が個性的な昭和建築とマッチして凛とした空気を醸し出している。部屋を訪ねると、塙さんの手によって発見され、整理されたファイルが机の上に並べられていた。見てはいけないものを

覗き見ているようで、ページをめくる僕の手にも緊張感が走る。

塙さんの父である作者の河合良介さんは、一九二七年に四人きょうだいの次男として広島県呉市で生まれた。河合さんは親戚を助けに広島市内に入った際、入市被爆を経験。特攻隊に行くつもりで海軍養成学校へ通っている最中に終戦を迎えた。

「福島で原発事故があったというニュースがテレビで流れていたときに、父は『福島の放射能なんて広島の惨状とは比べものにならない。戦禍の焼け野原の中でも、夕方になると明かりがポッポッと点くことで人々の逞しさを感じた』と話し出したんです。そのとき初めて、父が入市被爆していた過去を知りました。父は戦争に行っていませんが、戦時中にすぐ上の姉を結核で亡くしていますし、戦禍の惨劇や戦後の食糧難なども経験したようです」

戦後、河合さんは早稲田大学文学部への進学を志望したが、税理士だった祖父の反対を受け、高校中退後はKDD（国際電信電話）に就職し、時代を担う企業戦士として海外を飛び回り、定年まで四十年近く勤務した。三十歳のときには同い年の女性と結婚し、二年後には塙さんを授かった。

「晩年、父は『自分は生まれてきて損をした』といつも口にしていました。自分はお国のために特攻隊で死ぬと思って生きてきたものの、戦後の急激な価値転換についていくことができなかったようです」

河合さんは読書家で、医学書からドストエフスキーまで幅広い種類の本を雑多に読むような人だった。塙さんが中学二年生のとき、何の気なしに父の書斎にあがって本を眺めていたところ、偶然分厚いファイルの束を見つけた。それが、女性のグラビアに鉛筆で加筆することで痩せているように見せたあの作品群というわけだ。そのとき目にした写真はスクラップブックのようなものに貼られており、横には河合さんが書いたものか不明だが、小説のような文章が書かれていたという。

「父は痩せていくことに興奮を覚えていたことがわかりました。床には、丸めたティッシュから陰毛のようなものが見えていたので、性欲の処理をしていたんだと思います。父は変態で汚らわしい、そんな思いを抱くようになったんです」

そう語る塙さんは、性同一性障害を抱えて生きてきた。幼少期は人形に興味を持つことはなく、ロボットや模型ばかり集めてきた。「自分は男の子だ」と認識し、スカートを履いているときは女装しているような気分だったという。はっきりと性同一性障害ということを意識したのは五歳の頃、親に対して「わたし」という一人称を使うことに抵抗を覚えたことがきっかけだ。母親が父親に、塙さんの生理が始まったと告げていたのを聞いたときには、女として生きなきゃいけないんだという屈辱感を味わった。自身の性別についてそんな息苦しさを感じていた塙さんだったが、女子美術大学附属高校へ進学してからは環境が一変した。

「女子美だからみんな個性的で、自由な校風でした。初めての恋愛は女性と付き合いましたが、どこかで治ると思っていました。最初の恋愛が終わったあと、強制的に男性と付き合って『女性』になろうと努力しましたが、結局は恋愛にはならないんです。いまと違って同性を好きになることが世の中に受け入れられない時代でしたから、未熟だとか、男の良さがわかっていないとか、カミングアウトすればするほど、風当たりが強く苦しい期間でした。結局、大学はそのまま女子美術大学へ行きましたが中退し、文化服装学院へ進学しました。初めての恋愛相手が服飾専門学校へ通っていた、という理由だけで進学したんです。やがて、寺山修司の天井桟敷の衣装を縫うようになって、私は衣装に関わって一生を過ごすのかなと思っていたら、寺山さんが亡くなったでしょ。そこから知人に紹介されて、イラストの世界に入ったんです。世の中の多数派に合わせて生きなきゃいかなきゃいけないんだなと思って、『塙興子』というあえて女性らしいペンネームを名乗るようになったんです」

塙さんはイラストの仕事と並行しながら、ホステスやスナックなど、さまざまな職業を経験するようになった。特に新宿のゴールデン街で働いたときは、来客がみな本音で話してくれる姿に面白さを感じ、ゴールデン街で「スペース33」というお店を経営したこともある。人間の隠れた面を垣間見ることができる水商売の世界に、塙

塙興子「ベビーメイト」の挿絵

塙興子「女王様バイブル」の挿絵

さんは魅了された。二十七歳からはイラストを本業として働くようになった塙さんだが、これまで描いてきたイラストの多くは、成人向けの雑誌や新聞などの挿絵が中心だ。まるで「変態」と決めつけてきた父親を擁護するように、彼女も「変態」の世界で仕事をするようになった。そして、父親だけではなく、塙さんの母親も、あるときから強迫性障害を患うようになった。

「人が触ったドアノブが気になって、母の掃除は止まらなくなっていたんです。そのうち料理をすることもできなくなって、母は毎日必死になって家中を掃除し続けていました。父と私はどうしていいかわからなくて、家族間でもまったく会話がなくなって、常に緊張が走っていました。いよいよ家族が機能不全な状態になってしまって、私が高校三年生のとき、母は家を出ていったんです。母親の醸し出す緊張感はすごかったから、出て行ったことで少しホッとしたことは事実ですね」

塙さんの母親は、都内で一人暮らしをするようになった。英語教室で生計を立てていたが、強迫性障害の症状がひどくなり、いつしかそれも辞めてしまった。塙さんは父親に内緒で時々面会に行っていたが、母の姿を見るたびに辛い思いを抱くことがあったようだ。意図的に連絡を取らないようにしていたら、母親から「死にたい」と電話が来るようになり、そのうち精神病院に入院した。その後、母親とは音信不通の状態が続いていたが、塙さんが三十五歳のとき、「母親が老人ホームに入所しているから会いに来てほしい」と知人から手紙が届いたそうだ。

「母は六十三歳から八十歳で亡くなるまで、老人ホームで過ごしました。四人部屋でいろいろ気になることはあったと思いますが、頑張っているようでした。晩年は認知症になったことも、母にとっては良かったのかも知れませんね。ときどき母と父の話をすることがあったんですが、あるとき『私はパパのことが大好きで、片思いだったのよね。そのときパパには恋人がいて、仲睦まじいところを見せつけられて辛くて食事もできなくなっちゃって、げっそり痩せてしまったの。そしたらパパが急に、一緒に帰ろうかと誘ってくれてね。あれは何だったのかしら』と馴れ初めを話してくれたことがありました。私はその話を聞いて、結婚してから父が母に執拗に痩せろと言っていたことや、中学二年のときのあのトラウマを思い出して、ますます父と距離を置くようになったんです。『私も痩せてしまうと父の性欲の対象になってしまうのではないか』という恐怖感がありました」

河合さんの作品の中には、同じグラビアを数枚コピーして、それぞれ鉛筆で加筆の強度を変えている作品がある。女性がだんだんと痩せていく過程を楽しんでいたようにも思える。つまり河合さんは、いまの時代で言えば「痩せフェチ」だったのだろうか。しかし、フェティシズムなんて言葉も浸透していない時代に、湧き上がってくる自らの欲動を満たすために、河合さんは鉛筆でグラビアの体に加筆していった。誰にも見せることのない密やかな創作は、もしかすると本能と理性の間で苦悩していたのかも知れない。妻が出ていったあと、河合さんは成人向け雑誌や作品の大半を自宅の焼却炉で燃やしてしまった。二〇〇七年、河合さんに末期がんが見つかり、二〇一五年に八十八歳で他界した。死後、塙さんが発見した作品の束は、机の引き出しの奥のほうに偶然残っていたものだ。中には遺品のプリンターに挟まっていた作品もあり、焼却炉で焼いたあとも晩年まで創作に取り組んでいたことがうかがえる。

「父が末期がんで自宅療養しているときが、私にとって一番つらい時期でした。介護の仕事を九年ほどしていたから排泄の処理などは苦労なくできたはずなんですが、がんの症状のせん妄が出始めて、父は急に暴言を吐いたり、戦争の話や母との馴れ初めを話し始めたりすることがありました。もちろん、あの作品のことも一切聞けなくて。あるとき父の部屋を整理していて、二十巻くらいある医学解剖書を『これは捨てるの?』と尋ねたら『ほっといてくれ!』とすごく怒鳴られたこともあります。

父の死後、自分でも理由がわからなかったんですが、闘病で激やせしていた女優、川島なお美さんのブログを毎日覗いていたことがあったんです。私自身も不安定になっていて、二年くらいセラピーを受講して毎日泣き叫び、自分の感情を解放し続けました。父の作品でトラウマになったことはありましたが、父は痩せていく姿、つまり死んでいくのに生命力があふれる姿に、即身仏のような聖なるものを感じていたのではないかと考えるようになりました。父は戦時中、骨と皮になって死んでいく女性に聖母的な美を見たんじゃないかと思います。その光景がまぶたに焼き付いて離れず、何かの形で表現せざるを得なかったのではないでしょうか。遠藤周作の小説『深い河』に登場するチャームンダーを執拗に調べていたことがありますし」

チャームンダーとはヒンドゥー教の女神のひとりで、痩せこけて骨と皮ばかりのその姿はまるで骸骨のようだが、インドでは母なる神とされている。萎びた乳房から人間に乳を与えるチャームンダーは、人々を苦しめてきた病気のすべてにかかっている。つまり、大いなる命の母として、人間のすべての苦しみを代わりに受け止める存在なのだ。

塙さんは父親の介護をしているとき、自身をモデルにした細密画を突然描き始めた。これまで雑誌や新聞の挿絵を描いてきた塙さんにとって、やっと自分の描くべき絵が見つかったという感覚だったのだろう。河合さんと塙さん親子のそれぞれの作品を見比べてみると、単にモノクロームという共通点だけはなく、どちらの絵も人々に救済の手を差し伸べるチャームンダーのように見えてくる。

「河合家の家系で、私だけが好きなことをして生きてきたんです。父とは会話がなくて、最期まで意思疎通もうまくできませんでした。セラピーを受けているうちに、父から愛されていたんだということを感じるようになりました」

塙興子《無明に捧ぐ》

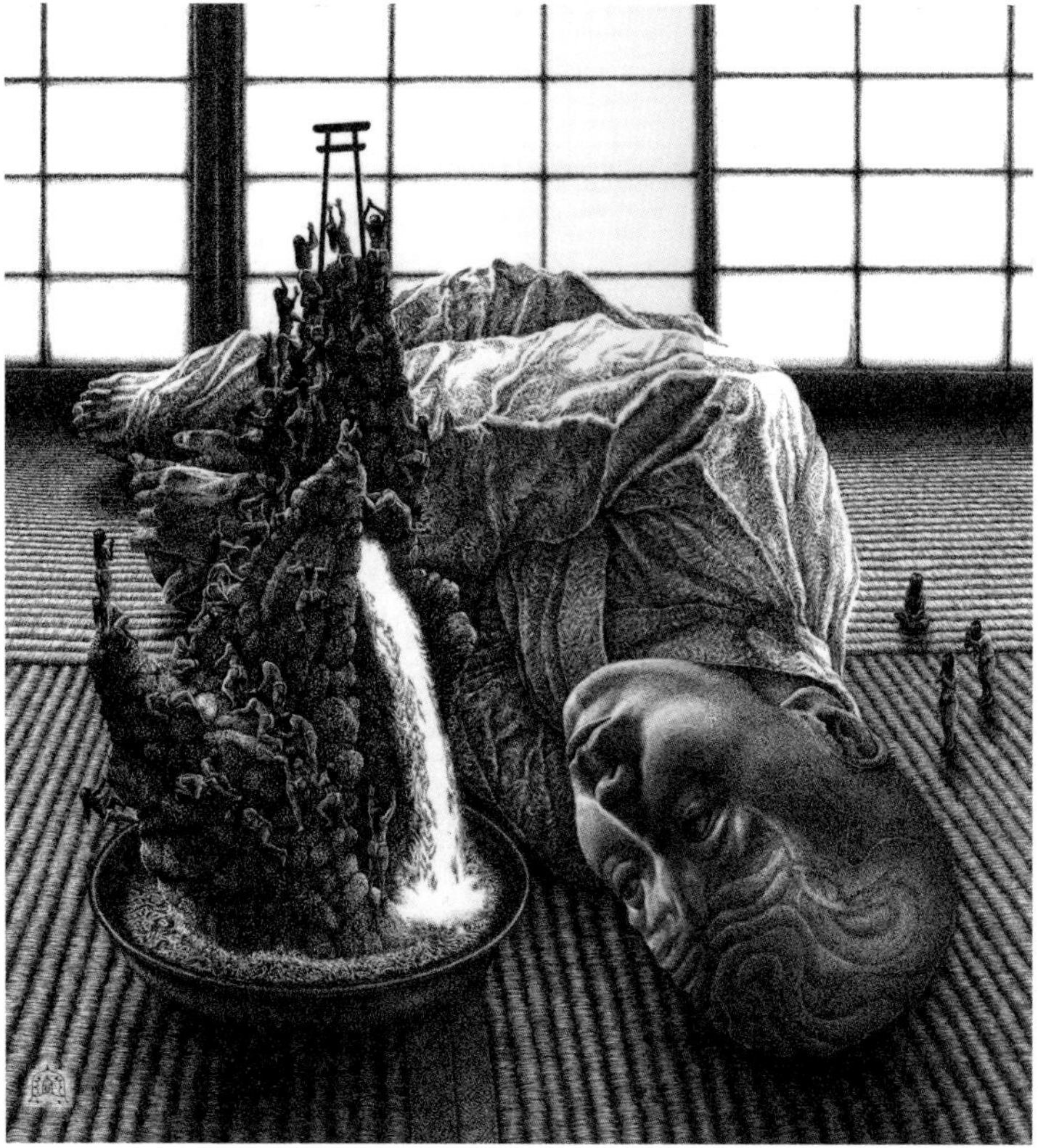

塙興子《受肉の泉Ⅱ》

塙さんは現在、ＳＮＳで積極的に父親の秘密の創作について情報発信を続けている。「もう隠さなくても良い時代だし、仮に芸術として認められるのであれば世に出しても良いのでは」と塙さんは呟く。そこに僕は、父親のことを変態だと毛嫌いしてしまった娘の赦《ゆる》しの姿を見る。塙さんは、親子のつながりをもう一度回復させようとしている。

ファイルをめくっていると、女性のボディビルダーの切り抜きも数枚混じっていることに気づいた。やはり、河合さんが求めていたのはフェティシズムではなく、朽ちてゆく肉体そのものの美しさだったのだろう。その背後にあるのは、塙さんが分析するように、きっと悲惨な戦争体験だと思う。言葉にできないほどの苦しみを経験したとき、人は岐路に立たされる。苦しみに耐えられず自死を選んでしまう人たちがいる中で、そのエネルギーを生へと転化し、創作に情熱を注ぐ人がいる。いまのように多様性など認められなかった昭和という時代に自らが生み出した創作物に対して、きっと河合さんは戸惑ったことだろう。それでも表現せずにはいられなかった河合良介というひとりの男が残した「祈り」のような表現を、平成というまたひとつの時代が終わろうとしているいま、僕らは改めて見つめ直す必要がある。

（二〇一五［平成二七］年没）

浅原きよゑ

Kiyoe Asahara　一九二七（昭和二）年生まれ

ベッドの下の宝物

きよゑさんがつくった「ぼけぼー」

フェルトや綿、布のリボンなどの手芸用品を使ってつくられた個性豊かな動物たち。一見すると、熊なのか猫なのかわからないキャラクターもいるが、そのゆるくてかわいい色鮮やかな造形美に、ひと目見たときから心を鷲掴みにされてしまった。これらは、静岡県沼津市在住で九十四歳になる浅原きよゑさんがひとつひとつ手づくりで制作したフェルト製の人形だ。ボケ防止のために始めたことから「ぼけぼー」という愛称で親しまれている。

「祖母が八十五歳のとき、近所に住むおばあさんから『私はつくれないけど、あんたは器用だからやってみな』とミッキーマウスのフェルトマスコットをつくるキットを譲り受けたんです。祖母は折り紙やペットボトルのキャップを使って置物などをつくっていたこともあり、手先が器用だったんですね。人形の目を付け替えるなど自分なりにアレンジして制作したところ、周りで話題になったのが嬉

しくて、フェルトを使って人形をつくるようになったみたいです」

そう語るのは、きよゑさんの孫で、「ぼけぼー」の広報担当を務めている志賀春香さんだ。

きよゑさんが初めてミッキーマウスのフェルトマスコットをつくって三か月ほどが過ぎた頃、志賀さんが実家に帰省した際に「最近こんなのつくってるんだよ」と祖母から見せられたのが、煎餅の空き箱にたくさん詰められた「ぼけぼー」だった。「かわいいとは言えないけど、とてつもないユーモアとエネルギーを持っているものを見せられた気がして、ここで眠らせておくより、多くの人に見てもらいたいと思ったんです」と志賀さんは当時を振り返る。二〇一二年六月には、志賀さんが働いていた東京・中野の日替わりカフェの一角で初めての展覧会を開催。そのときすでに八十個ほどを展示したというから、きよゑさんの制作スピードには驚かされてしまう。

志賀さんによると、きよゑさんは制作にあたって基本的に下書きなどはせず、折ったフェルトにハサミを直接入れていくようだ。即興で裁断していくため、制作途中で形を変えてしまう作品も多いが、現在も一日平均で五個ほどをつくっているというから、その創作意欲は尽きることがない。

「つくり始めた当初は、近所の小学生や親戚に無料で配っていたようです。『すぐにペッチャンコになっちゃった』『サイズが大きすぎたり小さすぎたりしている』など意見をもらうことで、中綿を入れるようになったり、四本足で自立するようになったりと、だんだん洗練されていったようです。祖母の感性をそのまま生かしてもらったほうがいいので私はなんのアドバイスもしていないんですが、気づいたらボンドやグルーガンまで使いこなすようになっていたんで

志賀春香さん

すよね」

　志賀さんによると、きよゑさんは現在も制作を続けており、その数は八千点にのぼるという。足が悪いためマッサージチェアに座りながら制作を続け、完成品はジッパーで封をして頭の後ろのダンボール箱に入れていく。山積みになってきたところで、志賀さんが車で「ぼけぼー」を受け取りに行き、そのうちの何点かを販売しているようだ。「最初は一つ二百円で売り出して、いまは三百円に値上げしたんですけど、値段設定を間違えましたね」と笑う。ネットショップへ定期的に出展しても、すぐに完売してしまうほどの人気ぶりだという。

　一九八七年に生まれた志賀さんは、両親が共働きだったため、きよゑさんにご飯をつくってもらうことも多かった。いわゆるおばあちゃん子として育った志賀さんにとって、そのときの恩返しをするように、二〇一二年から東京近郊や静岡、長野、熊本など全国各地で「ぼけぼー」の展示を続けている。志賀さんの両親と弟と同居をするきよゑさんにとって、「ぼけぼー」の制作は、できあがった作品を家族で称え合うなど、家族間のコミュニケーションのひとつにもなっているようだ。当初は、作品が知れ渡ることを恥ずかしがっていたというきよゑさんだが、展覧会場で記された感想ノートをいまも大事にベッドの下に仕舞っているというから、たくさんの人の声援がいかに彼女の制作を後押ししているかがわかるだろう。

「祖母の励みになっていることが一番だと思って、活動を続けています。私の義務はこの『ぼけぼー』たちを今後どうしていくかだと思っていて、できるだけ多くの人の手に渡ってほしいと考えています」

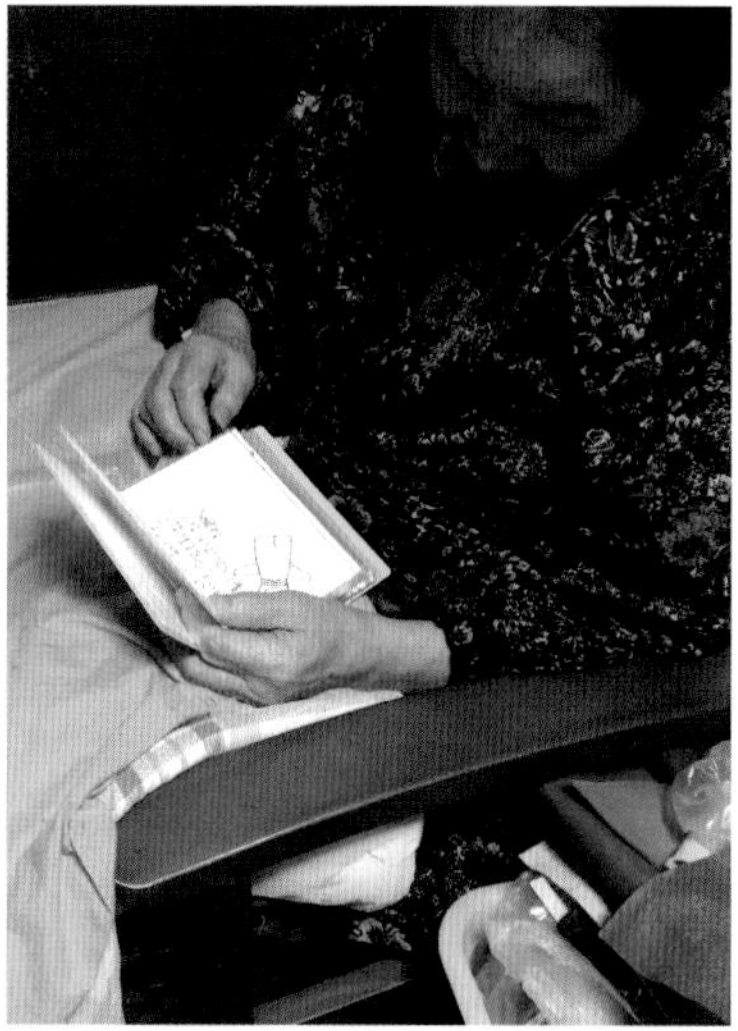
感想ノートを手に取るきよゑさん

そう話す志賀さんは、「ぼけぼー」の中でも珍しいものは自分でコレクションするなど、彼女自身もすっかりきよゑさんがつくった作品に魅了されているようだ。販売するためにひとつひとつを包装してパッケージのイラストを描いていくうちに、イラストレーターとして活動する志賀さん自身の創作活動も刺激されていったというから、これまで介護される存在として考えられてきた高齢者の存在が制作を通じて逆転しているのが、何とも面白い。これがアートの力なのだろう。

「ぼけぼー」のような作品は、世間一般では「おかんアート」として認識されている。「おかんアート」とは、主に中高年の主婦(母親=おかん)が余暇を利用して創作する自宅装飾用芸術作品の総称で、二〇〇三年三月に2ちゃんねるで専用スレッドが立てられたことで、その存在が広く知られるようになった。神戸の下町、兵庫や長田を街歩きする団体「下町レトロに首っ丈の会」の山下香さんの報告によると、「おかんアート」は楽しむことを重視した作品と、技術や質を重視した作品に大別されるという。きよゑさんの場合は前者であり、そうした作品には制作者の遊び心が含まれているからこそ、見る側に意図せぬ笑いを生み出しているようだ。全国各地で生み出される「おかんアート」は、すべてアマチュアのつくり手たちによって生み出されている。プロフェッショナルがいない世界だからこそ、楽しめる領域は存在する。歳を重ねても自分たちがつくりたいものをつくることができて、それを喜んでくれる人がいるならば、これほど嬉しいことはないだろう。僕らが年齢を重ねていったとき、僕らのベッドの下には、いったいどんな宝物を残すことができるだろうか。

(二〇二三[令和五]年没)

超老芸術　レジリエンスとしての表現

「I would love to show these in New York（これをぜひニューヨークで見せたい）」

二〇二二年八月、僕のFacebookの投稿記事にこんなコメントが寄せられた。コメントをくれたのは、ニューヨークにあるケビン・モリスギャラリー（Cavin Morris Gallery）のオーナーで、それから三か月経って、このギャラリーで田口Bossの絵画の取り扱いが始まった。これまで一度も展覧会など開催したことのなかった彼女が、なんと突然のアメリカデビュー。人生は、何が起こるかわからない。おそらく、一番驚いているのは、田口Boss本人なのだろう。

ずいぶん遅咲きの人生のように思われるかもしれないが、ことさら芸術に関して年齢は関係ない。たとえば、江戸時代後期の浮世絵師として知られる葛飾北斎の傑作『富嶽三十六景』が刊行されたのは、一八三一年。なんと北斎が七十一歳という老齢になってからだ。北斎は、七十五歳のときに出版した絵手本『富嶽百景』初編の跋文の中で、「六歳の頃から絵を描いてきたが、七十歳以前までに描いた絵は取るに足らないもので、七十三歳にしてようやく動植物の骨格や出生を悟ることができた」と述べている。続けて「八十歳になる頃にはさらに成長し、九十歳で絵の奥意を極め、百歳で神妙の域に到達し、百何十歳ともなれば一点一画が生きているように見えるようになるだろう」と記した。北斎は享年九十で亡くなったものの、この跋文を執筆した七十五歳の時点では、百歳を超えてもなお、絵師としてのさらなる向上心を抱いていたようだ。

そんな北斎にとって、六十代の私生活は波乱続きだった。六十二歳のときには四女を亡くしたとされ、翌年は長女が離婚し、その後に夭折。六十八歳のときには、自身が中風（脳卒中）を患ってしまうが、自分で調合した柚子の薬で回復したという逸話まで残されている。さらに六十九歳のときには後妻が他界し、七十歳になっても孫の放蕩の尻拭いをする羽目になり、借金取りに追われる日々を過ごしたとも言われている。

北斎だけでなく、人は誰でも年齢を重ねるにつれて、慢性的な疾患や障害、喪失体験、貧困、そして突然の災害などの個人にとって耐え難い出来事に遭遇する可能性が増し、その延長線上に死を意識するようになる。ときには、「自分のこれまでの人生はこれで良かったのだろうか」と自問自答を繰り返し、将来への不安を感じてしまうことだってあるだろう。しかし、そうした逃れることのできない宿命のような悲劇に遭遇した場合でも、人はそこから立ち直る能力を兼ね備えている。それが、「レジリエンス」と呼ばれる力だ。

レジリエンスとは、苦難を跳ね返していく力、つらい経験をしながらも前向きに生きていく力、困難を適切に切り抜け、乗り越えるような力*であるとされている。事実、熊本震災を機に自らの人生を見つめ直した田口Ｂｏｓｓや、家族との離別や実弟の逝去、店舗の閉店など数々の不幸に見舞われた本田照男など、本書で紹介した超老芸術家たちにも自らの身に突如として降りかかった災いがきっかけとなり、制作を始めた人は多い。言い換えれば、これまでライフイベントや社会の大きな変化など歴史的な時期を生き抜いてきた高齢者であったからこそ、こうしたレジリエンスを発揮することができたとも言える。つまり、長い人生の中で成功した経験や失敗して学んだ教訓を統合していくことで、加齢とともにレジリエンスを高めることができているのだろう。

超老芸術が特徴的なのは、表現する喜びに満ちあふれていることだ。創作においては、作者の身に降りかかった苦難が直接的に表現されることはほとんどない。否、正確に言えば、表現したくはないのだろう。たとえば《原爆の図》を描いた画家・丸木位里の妹で被爆者でもある大道あやは、六十歳から絵を描き始め、草花や動物など生命にあふれる数百点の作品を残したことで知られているが、彼女は長い間、原爆を描くことを避けてきた。九十歳を超えてからNHK総合テレビで『にんげんドキュメント九十一歳のおてんばさん　原爆を描く』の企画を打診されたことで、ようやく原爆を主題とした絵を描き始めたものの、番組内では「生き残った自分が生きながら死んでいった人たちの体験を描くことなどできない」と激しい憤りをカメラにぶつけるシーンが映し出されている。彼女にとっては直接原爆を描くのではなく、美しい自然を描くことがレジリエンスとなっていたのだろう。

同様に本田照男が主題としているのは、小さい頃に遊んだ山や川といった心に残る西伊豆の原風景だ。彼は生まれ育った故郷の山河をテーマにした鮮やかな色彩表現を描き続けている。絵を描くことで、楽しかった少年時代に思い馳せ、つらかった記憶を上書きするというセルフケアとでも言うべき自己救済を行なっているというわけだ。

ただ忘れてはならないのは、本書で紹介した超老芸術家たちの背後には、表現へ至らなかった人たちの存在が星の数ほどいるという事実だ。清掃の仕事を長年続けていても、ガタロのように絵画という自己表出の手段を得ることができなかった人は大勢いる。大袈裟な言い方かも知れないが、自身の血と涙の跡を残す手段や方法もないままに倒れていった人たちの痛恨こそ、ときには超老芸術家たちをしてやむにやまれぬ表現衝動へと駆り立てる原動力になっているようにも思われる。

そして、独学であるがゆえに他の追随を許さないような特異な表現手法が確立していることも超老芸術の真価と言えるだろう。たとえば、憧れが高じて自宅を新幹線の形につくりあげた正角稔や理容室を経営していた磯野健一が総工費五万円で築き上げた天守など、その作風へ至るまでに大きな紆余曲折があるわけではなく、これまでの仕事で培ってきた空間認知力を始めとした職能がいかんなく発揮され、初めから表現の局地に到達しているかのような崇高ささえ感じてしまう。こうした強烈なヴィジョンとでもいうべき、継続した飽くなきモチーフの追求は、超老芸術に欠かすことのできない要素と言えるだろう。本田照男は自身が創作を続ける理由を次のように語ってくれた。

「孤独感に襲われて目の前の川に飛び込んで死んじまいたいと思うこともありますけれども、小さな絵を描くことで喜びが湧き上がってまいりまして、何かの形で自分が生きてきた証を残しておきたいなと思っています。波乱の人生でありましたので、波乱の人生がこういう絵を生んだとするならば、波乱の人生であったからこそ、豊かな感性をいただいたのかなと思いました」

「自分の生きた証を残したい」。超老芸術家たちが表現する根源的な動機は、この言葉に集約されている。内なる衝動がマグマのようにぐつぐつと湧き上がっていき、幾つもの運命が歯車のように交差して、ある日突然に誰かを創作へと向かわせる。芸術の神様に選ばれた当人には、芸術的素養があるわけではないが、思いもよらない方法で次々と生み出される創作物は、当人に揺るぎない価値観をもたらしていくのである。他者からの評価を気にしたり地位や名誉に媚びたりすることなく、自らの価値観に基づいて生きている人たちだからこそ、僕はその表現や生き様に魅了されてしまうのだ。

改めて考えると、義務としての仕事や扶養から解放された老後とは、社会の歯車から外れた時期である半面、子ども時代のように社会的役割には縛られることのない自由な時期でもあるはずだ。加えて、僕たちは日々の暮らしの過程で様々な危機や困難、自然環境がもたらす脅威と対峙しながら生きている。突然の困難に見舞われたとしても、何とか生き抜いていかなければならない。そうした意味でも、老いを肯定的に捉えた創造的活動である「超老芸術」とは、レジリエンスとしての生きる力を呼び覚まし、人生に希望や活力を与えてくれる。そのことが結果として、老いの尊厳を復権することにつながっていくのではないだろうか。

入れ歯を入れるようになれば、食事の摂り方に工夫が必要になってくる。耳が聞こえなくなれば、相手の口元を見て会話の内容を推測する必要がある。足腰が衰えれば、転倒しないような筋肉の使い方やバランス感覚を身につけなければならない。そのように考えると高齢者の毎日とは、創造の連続だと言えるだろう。すなわち、年をとれば誰もが「超老芸術家」になり得る可能性を秘めている。足元を見れば、既に僕たちの立っている場所にも超老芸術の道は延びているのだ。

櫛野展正

＊宮地尚子『トラウマ』岩波書店、二〇一三年、二二六頁

主要参考文献

大道あや『へくそ花も花盛り―大道あや聞き書き一代記とその絵の世界』福音館書店、二〇〇四年
永田生慈『葛飾北斎』吉川弘文館、二〇〇〇年
リチャード・レイ『伝記画集―北斎』河出書房新社、一九九五年

初出一覧

山下弘明　web版美術手帖「アウトサイドの隣人たち」Vol・58　2022・11・5
小八重政弘　web版美術手帖「アウトサイドの隣人たち」Vol・59　2022・11・30
杉村聡　web版美術手帖「アウトサイドの隣人たち」Vol・48　2022・1・9
堀江日出男　書き下ろし
松下勤　web版美術手帖「アウトサイドの隣人たち」Vol・50　2022・3・5
上林比東三　キャプスチャンネル「アウトサイドからこんにちは！」#26　2020・4・13
半田和夫　web版美術手帖「アウトサイドの隣人たち」Vol・39　2021・4・11
沖井誠　ROADSIDERS' weekly Vol・419　2020・9・2
ガタロ　web版美術手帖「アウトサイドの隣人たち」Vol・34　2020・11・15
稲田泰樹　web版美術手帖「アウトサイドの隣人たち」Vol・44　2021・9・5
大谷和夫　キャプスチャンネル「アウトサイドからこんにちは！」#9　2018・6・20
玉城秀一　キャプスチャンネル「アウトサイドからこんにちは！」#19　2019・4・10

本田照男　web版美術手帖「アウトサイドの隣人たち」Vol・53　2022・6・6

国谷和成・みよ子　web版美術手帖「アウトサイドの隣人たち」Vol・17　2017・7・26

田口Boss　web版美術手帖「アウトサイドの隣人たち」Vol・47　2021・11・28

土屋修　ROADSIDERS' weekly　Vol・362　2019・7・3

田中利夫　キャプスチャンネル「アウトサイドからこんにちは！」#23　2019・10・15

中條狭槌　ROADSIDERS' weekly　Vol・253　2017・3・22

一戸清一　キャプスチャンネル「アウトサイドからこんにちは！」#14　2018・11・20

磯野健一　web版美術手帖「アウトサイドの隣人たち」Vol・37　2021・2・5

正角稔　キャプスチャンネル「アウトサイドからこんにちは！」#1　2017・10・20

林田嶺一　web版美術手帖「アウトサイドの隣人たち」Vol・29　2019・10・2

今井豊一　ROADSIDERS' weekly　Vol・228　2016・9・21

河合良介　ROADSIDERS' weekly　Vol・339　2019・1・9

浅原きよゑ　web版美術手帖「アウトサイドの隣人たち」Vol・43　2021・8・8

櫛野展正（くしの・のぶまさ）

一九七六年、広島生まれ。二〇〇〇年より知的障害者福祉施設職員として働きながら、広島県福山市鞆の浦にある「鞆の津ミュージアム」でキュレーターを担当。二〇一六年、アウトサイダー・アート専門スペース「クシノテラス」開設のため独立。未だ評価の定まってない表現者を探し求め、取材を続けている。二〇二一年からは「アーツカウンシルしずおか」チーフプログラム・ディレクターに就任。総務省主催「令和三年度ふるさとづくり大賞」にて総務大臣賞受賞。

超老芸術

Art of The Aged

超老芸術　二〇二三年七月二九日　初版第一刷発行

著者　櫛野展正
編集　森かおる
ブックデザイン　渋井史生
発行者　石山健三
発行所　ケンエレブックス
〒一〇一-〇〇六四
東京都千代田区神田猿楽町二-一-一四　A&Xビル4F
TEL：〇三-四二四六-六二三一
FAX：〇五〇-三四八八-一九一二
URL：http://books.kenelephant.co.jp/
E-MAIL：info.books@kenelephant.co.jp
発売元　クラーケンラボ
〒一〇一-〇〇六四
東京都千代田区神田猿楽町二-一-一四　A&Xビル4F
TEL：〇三-五二五九-五三七六
FAX：〇五〇-三四八八-一九一二
印刷所　株式会社シナノパブリッシングプレス

ISBN 978-4-910315-26-3　C0070
乱丁・落丁本はお取り替えいたします。